REMANDO RUMO AO FUTURO

Patricia Moreno Grangeiro & Ana Helena Puccetti
Candido Leonelli & Ricardo Marcondes Macéa

REMANDO RUMO AO FUTURO

Esporte & Inclusão & Saúde & ESG

SUMÁRIO

PREFÁCIO — 11
Paulo Saldiva

O RUMO DO AMOR — 13
Patricia Moreno

VIVA AS REMADORAS DA RAIA OLÍMPICA DA USP! — 18
Ana Helena Puccetti

REMO, CARREIRA, FAMÍLIA E MEDICINA — 24
Candido Leonelli

REMO, FATOR DE UNIÃO E FRATERNIDADE EM TORNO DO ESPORTE — 29
Fernando Razzo Galuppo

REMO, UMA HISTÓRIA DE AMOR À PRIMEIRA VISTA — 38
Ricardo Linares Pereira

A RAIA OLÍMPICA DA USP — 44
José Carlos Simon Farah

REMANDO ENTRE O CÉU E O MAR — 47
Amyr Klink

NAVEGAR É PRECISO — 49
Lars Grael

MINHA JORNADA NO VOLEIBOL — 53
Hélia de Souza (Fofão)

MEMÓRIAS INESQUECÍVEIS: O JUDÔ EM MINHA VIDA — 56
Rafael "Baby" Silva

OS RUMOS DO REMO NO BRASIL — 61
Katia Rubio

EM BUSCA DE UM SONHO — 64
Fabiana Beltrame

HISTÓRIAS DE UM MÉDICO CAMPEÃO 69
Renê Campos Pereira

OS IRMÃOS DA LAGOA 75
Ricardo e Ronaldo Carvalho

MINHA HISTÓRIA NO VOLEIBOL: UMA FAMÍLIA LIGADA AO ESPORTE 78
Silvia Regina Montanarini

REMAR CONTRA A MARÉ 81
Mara Gabrilli

OLHOS DE SENTIR 87
Silvia Grecco

A DELICIOSA MEMÓRIA DE GANHAR JUNTO 91
Jairo Marques

O URGENTE DESEJO DE UM MUNDO SUSTENTÁVEL PARA TODOS! 95
Aracélia L. Costa

QUAL É O SEU PAPEL CAUSADOR PARA A INCLUSÃO NO ESPORTE? 98
Aline Morais e Rafael Público

HISTÓRIA DO ESPORTE ADAPTADO NO BRASIL 103
Elizabeth de Mattos

UNINDO DIVERSIDADE, CELEBRANDO CONQUISTAS 112
Giovanna Carla Interdonato

INSTITUTO DE ORTOPEDIA E TRAUMATOLOGIA (IOT) & INSTITUTO REMO MEU RUMO 118
Tarcisio Eloy Pessoa de Barros Filho

PESSOAS PARA PESSOAS 121
André Pedrinelli

ATIVIDADE FÍSICA É O RUMO 125
José Ricardo Pecora

ATIVIDADE FÍSICA, SAÚDE E LONGEVIDADE 129
Wilson Jacob Filho

O REMO PARA MIM — 136
Anna Sara Levin

ADOLESCÊNCIA: O QUE ACONTECE NESSE MOMENTO? — 139
Clovis Artur Almeida da Silva

ATIVIDADE FÍSICA E EXERCÍCIOS DE MOTIVAÇÃO PROVOCAM UMA VERDADEIRA TRANSFORMAÇÃO CEREBRAL — 145
Fernando Campos Gomes Pinto

***DEEP LEARNING* – A INTELIGÊNCIA ARTIFICIAL NA SAÚDE** — 148
Giovanni Cerri

REMAMA – AS REMADORAS ROSAS — 153
Patricia Chakur Brum

PREVENÇÃO DE ACIDENTES E EMERGÊNCIAS — 157
Bruno Modesto

REMOS & RIMAS — 162
Cassiano Leonelli

VOLUNTARIADO NO REMO MEU RUMO – REMANDO COM O CORAÇÃO — 164
Silvia Maria Louzã Naccache e Sueli Felizardo Costa

CANOAGEM, AMOR, RAIA E RUMO — 169
Daniela Alvarez

O ESPORTE NA MINHA VIDA — 176
Nicolly dos Santos Dias

REMANDO MEU RUMO — 178
Guilherme Corsi

REMO, SORRISOS E VITÓRIAS — 183
César Augusto Moreira Silva

PELAS ÁGUAS DA VIDA — 186
Victor Santos Almeida

SONHOS, PERSEVERANÇA E ATITUDE — 191
Manoel Lucas

REMO MEU RUMO: UMA JORNADA DE CRESCIMENTO PESSOAL E COLETIVO _____ 195
Karoline Ribeiro

FISIOTERAPIA NO INSTITUTO REMO MEU RUMO _____ 198
Fernanda Gea de Lucena Gomes

REMO MEU RUMO: IMPULSIONANDO SONHOS _____ 204
Anael de Sousa Oliveira

UM NOVO TEMPO, UM NOVO RUMO... _____ 208
Moisés Laurentino

REMAR ME ENSINOU A ATRIBUIR SIGNIFICADO _____ 212
Camilo Cristiano

NAVEGAR EM UM MAR REPLETO DE CORRENTES CONTRÁRIAS _____ 215
Natália Angélica de Souza

SÓ NÃO CONSEGUE QUEM DESISTE _____ 221
Ana Beatriz A.MARques

VITÓRIAS E MILAGRES: MINHA JORNADA COM MINHA FILHA _____ 228
Romilda Moraes e Rubia Faustino

SERVIÇO SOCIAL NO INSTITUTO REMO MEU RUMO _____ 232
Angela dos Santos

AINDA SOU OS MEMBROS DO MEU FILHO, MAS ELE FLORESCEU _____ 236
Maria do Socorro Lopes Coimbra

MEU RUMO _____ 239
Fabio Madia

AS PESSOAS E AS CANÇÕES _____ 244
Marcelo Salgado

O PLANEJAMENTO E SUAS FERRAMENTAS _____ 251
Michel Freller

CAPTAÇÃO DE RECURSOS INTELIGENTE _____ 257
Ricardo Falcão

Mesmo regulamentada no país, a taxa de participação dessa população no mercado de trabalho, em 2019, era de apenas 28,3%, enquanto a taxa de participação das pessoas sem deficiência era de 66,3%. Isso mostra que, infelizmente, o potencial dessa força de trabalho ainda é pouco reconhecido.

Estamos atravessando também uma revolução tecnológica pós-pandemia de covid-19, que, além de ter apontado a urgência de questões estruturais em nossa sociedade, como o direito à saúde, à segurança alimentar e à educação, trouxe a tecnologia para o centro de nossas vidas. No entanto, mais uma vez, os direitos que deveriam ser assegurados às pessoas com deficiência foram postos à prova. Desde então, avançamos no uso de plataformas de comunicação, realizamos muitas teleconferências, adotamos o trabalho remoto e intensificamos as compras *online*. No entanto, lamentavelmente, não conseguimos garantir a acessibilidade digital para as pessoas com deficiência, que ainda enfrentam barreiras no acesso à informação e, consequentemente, no exercício dos seus direitos.

Toda essa contradição é inaceitável, especialmente porque temos uma das leis mais avançadas do mundo quando se trata da inclusão das pessoas com deficiência. A LBI, Lei Brasileira de Inclusão (Lei n. 13.146/2015), instituída em 2015, traz em sua essência a transição do modelo médico para o modelo social da deficiência, o que deve inspirar e guiar uma mudança significativa na forma de a sociedade se relacionar com essas pessoas.

A deficiência afeta de maneira desproporcional as populações mais vulneráveis. Não só no Brasil mas em todo o mundo, as pessoas com deficiência têm perspectivas de saúde menos favoráveis, níveis mais baixos de escolaridade, menor participação econômica e maiores taxas de pobreza em comparação com as pessoas sem deficiência.

O URGENTE DESEJO DE UM MUNDO SUSTENTÁVEL PARA TODOS!

Aracélia L. Costa

Nosso mundo é, de fato, um lugar paradoxal. Ele mistura avanços absolutamente incríveis nas mais diversas áreas da ciência, como a inteligência artificial, que projeta uma expectativa de vida melhor, porém com enormes contradições, como agressões ao clima e à natureza, conflitos que prejudicam o convívio entre povos, barreiras à qualidade de vida de grande parte de sua população, além da intolerância e discriminação, que impedem a plena inclusão das pessoas.

Vivemos em um mundo com grande capacidade de se reinventar, graças ao desenvolvimento de tecnologias que têm mudado nossa maneira de viver, trabalhar, nos relacionar e acessar informações em tempo real, com um alcance inimaginável. No entanto, em outros aspectos da vida humana temos evoluído discreta e morosamente, e alguns desafios do passado ainda persistem em nosso cotidiano. Por exemplo, a efetividade das políticas de inclusão das pessoas com deficiência, que ainda é provocadora. Podemos citar a Lei de Cotas para inclusão profissional (Lei n. 8.213/91), que existe há mais de trinta anos com o propósito de garantir o direito ao emprego e renda a esses profissionais.

sólidas de que o humano e a humanidade são perfeitos, vitoriosos e de ouro de formas múltiplas, diferentes e nada, nada convencionais.

JAIRO MARQUES é jornalista, especialista em jornalismo social. Escreve sobre diversidade, inclusão e aspectos da vida das pessoas com deficiência. É colunista e editor na *Folha S.Paulo*, autor de *Malacabado* e *Crônicas para um mundo mais diverso*. É cadeirante desde a infância.

pra mim. Havia sim algum incômodo da tremenda "derrota", mas ele não me era vexatório ou um marco que me fizesse desistir de amar estar em uma piscina.

Na hora das premiações, o meu incrível treinador foi distribuindo de maneira sorridente e animada as medalhas aos ungidos com "bronze, prata ou ouro". Embora todas parecessem iguais, havia uma condecoração diferente, muito bonita, com um ponto reluzente que chamava a atenção da molecada toda. Ela ficou para o final.

"Esta última medalha é especial. Ele vai para o maior destaque do ano em nossa piscina. Para quem mais se desenvolveu, mais se mostrou interessado, mais aprendeu, mais ensinou, menos faltou, menos ficou de corpo mole. É o maior prêmio!", badalava o professor.

Ganhei aquele mérito, tão cobiçado. Senti uma emoção, um orgulho e uma honra que me marcaram para sempre. Não era vaidade, era gosto mesmo de conquista, de tarefa bem-feita, de celebração.

"Ahhhh, mas ele não ganhou nenhuma disputa, professor", reclamaram, em coro, algumas crianças.

"Ele não ganhou, mas ganhamos todos nós, e ganhar junto é muito melhor do que ganhar sozinho", disse Numa, para um sorriso coletivo de satisfação.

O Remo Meu Rumo, iniciativa que se festeja nesta obra, é superlativo por levar em frente o conceito do ganhar junto, do cada um pode do seu jeito, do brilhar com o apoio de várias luzes, do fomentar que as diferenças e a esportividade não se dissociam por desarmonia.

Remar e rumar alinhavam a diversidade e os prazeres de explorar as possibilidades do corpo, da alma e dos prazeres físicos — e são inumeráveis — para a reafirmação e construção com bases do aprimorar. O convívio com situações as mais variadas catapulta e fortalece qualquer criança com demandas sensoriais, físicas ou intelectuais para as situações mais complexas da vida adulta.

Evidentemente que todos esses ganhos, que ultrapassam o ser "inclusivo", dependem fortemente de um professor, um treinador, um técnico, que, ao lado da didática de "como fazer" para que todos possam participar, precisa ser aguerrido defensor da ideia de que jogar é plural, viver é plural e que os esportes celebram, além de marcas e vitórias, aprendizados de socialização, de afetos, de ganhos e de perdas.

Mas, voltando ao meu dia mágico, da minha primeira disputa, cheguei cedo ao clube. Eu me sentia preparado e confiante. Nuna, meu professor, conseguiu me fazer acreditar que uma piscina olímpica podia ser vencida com tranquilidade por um menino nadando com a força de um braço e meio, uma vez que meu lado esquerdo tem cerca de 30% da efetividade e energia do direito.

Várias disputas me antecederam. Desempenhos vibrantes dos garotos mais velhos e até mais jovens que eu. "Será que vou conseguir uma medalha também?", pensava eu. Eu sabia que minhas chances eram remotas, mas criança, felizmente, inventa asas, heróis imaginários que dão força, inventam valores de campeão em qualquer situação.

E foi dando corda a esses pensamentos que meu incrível professor fez algo para eu guardar por toda a minha vida. Cheguei em último lugar na minha bateria, embora eu tivesse feito um esforço inédito, me dedicado como nunca, nadando, pelo menos na minha imaginação, como um peixinho fugindo de um tubarão.

Fiquei sem graça, mas não necessariamente triste ou decepcionado. Estar naquele ambiente era um prazer. Poder participar do evento, ter meu tempo medido, ser considerado, era valioso

A DELICIOSA MEMÓRIA DE GANHAR JUNTO

Jairo Marques

Eu tinha uns doze anos e era um cadeirantinho atrevido, com sede de conhecer coisas da vida e nenhuma consciência exata de suas durezas com a diversidade humana. Só pensava em ir, em experimentar, em acessar sensações, como qualquer outro moleque.

Estava nervoso e ansioso naquela tarde calorenta, como são quase todas lá pelo interior de Mato Grosso do Sul. Seria a minha primeira competição de natação, depois de anos aprendendo que meu corpo, ofendido de maneira bastante importante pelo vírus da paralisia infantil, podia flutuar na água.

Mais que isso, na piscina eu poderia me movimentar com leveza, poderia fazer estilos, à minha maneira, poderia me dar uma experiência nova de dimensões, liberdade e autonomia. Um caminho vibrante diante de uma realidade que só oferecia limitações, dificuldades, falta de acesso ao básico.

Sou convicto de que a criança com deficiência que passa — e tem a legítima oportunidade — por práticas e vivências com esportes, seja da forma que for, jogando de goleiro, arremessando um aviãozinho de papel, assoprando uma pena ou passando embaixo de uma fita colorida, ganha força, inteligência e sagacidade para qualquer enfrentamento futuro.

Claro, é fundamental que ela esteja junto dos pequenos típicos, que esteja exposta aos sabores e dissabores do competir, do refazer, com sentimentos. Exatamente como Helen Keller nos ensinou: "Procuro ter meu sol na luz do olhar dos outros, minha sinfonia na música que aos outros acalenta e minha felicidade no riso de todos".

Ver com olhos de sentir. Mesmo quem não é cego.

SILVIA GRECCO é secretária municipal da Pessoa com Deficiência da Cidade de São Paulo. Ativista da causa da pessoa com deficiência, contribuiu para a elaboração do projeto de lei que criou a LBI — Lei Brasileira de Inclusão (Lei n. 13.146/2015). Vencedora do Fifa Fan Awards 2019, é considerada a maior torcedora do mundo pela narração dos jogos de futebol para seu filho Nickollas, que é cego e autista. Foi presidente da Comissão Permanente de Acessibilidade (CPA) da cidade de São Paulo, secretária municipal da Pessoa com Deficiência de Santo André e secretária municipal de Assistência Social de Mauá.

apatia dos seres humanos". A apatia diante do sofrimento ou da dificuldade alheia.

Anne ajudou Helen a ler, escrever, ouvir e falar. Helen foi a primeira mulher surda e cega a entrar numa universidade. Foi reconhecida no mundo inteiro como escritora, palestrante e ativista da causa da mulher. O cuidar com amor de Anne desafiou regras, fatos e limites. Não existiram barreiras para Helen Keller. Não existem barreiras para as pessoas com deficiência. Elas podem estar onde quiserem. Nada pode impedi-las de viver e conviver.

Conheço mulheres, homens, famílias inteiras que me inspiram, como a história de Helen Keller, a continuar na luta pela inclusão. São Marias, Josés, Aparecidas, Joaquins e tantos outros nomes que fazem do amor seu alicerce maior. É o amor capaz de conceder a cidadania às pessoas com deficiência. É o Amor Ágape, capaz de guiar as ações de homens públicos no combate ao preconceito, na construção de políticas corretas e humanas. É o Amor antídoto às ausências de possibilidades, às barreiras todas que fazem com que uma pessoa com deficiência não possa ir além.

O que teria sido de Helen Keller sem o cuidado amoroso, o Amor Philia, de Anne Sullivan? Sem o olhar com o coração de Anne? Quantas Helens estão por aí, abandonadas à própria sorte, na invisibilidade de uma sociedade ainda preconceituosa? Cada dia uma conquista. Cada dia uma esperança. Para cada dia, um movimento de amor. Essa é a minha bandeira. Estou gestora e sou mãe. Mãe de um rapazinho com deficiência que enche a minha vida de alegria. Quanto eu aprendo com ele! Quantos sorrisos ele dá para a vida!

Todos os dias.

Posso afirmar que Nickollas é quem cuida de mim. Ele é cego, não pode ver pelos olhos, mas me ensina a enxergar a vida como um direito de viver feliz. Mas quero trazer a dimensão ainda maior que a palavra "cuidar" assume, quando se trata de relações humanas e afetivas. Conviver com as pessoas que amamos, e até mesmo com as que desconhecemos, exige um cuidar constante para que alcancemos os efeitos "curativos" necessários. Curativos da alma, das injustiças, do desconhecimento, do capacitismo, das ignorâncias que excluem pessoas de seus direitos.

O cuidar com amor traz um infinito de possibilidades. Quero lembrar a história de Helen Keller e Anne Sullivan. Surda e cega desde criança, Helen usava a agressão para se comunicar com as pessoas. Desacreditada pelos pais, que não sabiam o que fazer além de isolá-la, Helen fazia o que sabia fazer: gritar e bater.

Era final do século XIX e os pais, que tinham recursos, procuraram a escola mais renomada para enviar Helen. Então, o diretor da escola escolheu uma ex-aluna, Anne Sullivan, cuja visão era reduzida, para cuidar de Helen. Sem nenhuma formação como professora, Anne tentou a comunicação, errou, tentou de novo, errou de novo e assim foi. Mas nada a fazia desistir de Helen. Os laços humanos já eram mais fortes que qualquer insucesso. Então, ela teve a ideia de colocar uma das mãos de Helen na água, enquanto escrevia, com os dedos, a palavra água na outra mão. Foi nesse momento que Anne libertou Helen da prisão escura e silenciosa em que estava mergulhada. O cuidado e o amor de Anne Sullivan abriram portas sem limites para Helen, que aprendeu alemão, inglês, francês e tudo o mais que existia no mundo e estava ao seu alcance.

Estiveram juntas por 49 anos, quando Anne faleceu. O cuidado de Anne fez Helen realizar o que era considerado impossível para uma mulher cega e surda. A própria Helen disse, em certa ocasião, que "A ciência poderá ter encontrado a cura para a maioria dos males, mas não achou ainda o remédio para o pior de todos: a

OLHOS DE SENTIR

Silvia Grecco

*"As melhores e as mais lindas coisas
do mundo não se podem ver nem tocar.
Elas devem ser sentidas
com o coração."*
Helen Keller

Desde muito jovem, estive em contato com as dificuldades enfrentadas por pessoas em situação de vulnerabilidade social. Minha mãe realizou muitos trabalhos na assistência social de minha cidade e eu sempre a acompanhava. Aquelas pessoas, adultos e crianças vulneráveis, pessoas com deficiência sem nenhuma assistência ou diagnóstico, trouxeram luz aos meus olhos. A invisibilidade em que viviam me fortaleceu a abraçar essa causa como um tema de vida.

Mais tarde, quis a vida me fazer ainda mais feliz e trouxe o meu filho do coração, Nickollas. Se, em algum momento, eu titubeei diante dos desafios que surgiram, meu filho, cego e autista, me deu a certeza de que a luta pela inclusão de pessoas com deficiência na sociedade seria diária. Todos os dias, Nickollas me ensina a ser feliz. Me ensina que não é preciso ter olhos de ver quando se enxerga com o coração. Nossa convivência se alimenta de muito amor e de mútuo cuidado. Sim, ele cuida de mim. E eu cuido dele.

Cuidar é palavra de origem latina e costuma ser associada ao ato de curar. Cuidar para "curar". E não se trata aqui da cura de alguma doença, mas da cura como possibilidade, como liberdade,

Remar contra a maré não é fácil. Está longe de ser a trilha mais confortável e segura. Mas é um exercício que me mantém viva e em busca de novos caminhos e conexões. É o movimento oposto à indiferença, mal que pode destruir a humanidade. É assim que a gente pode mudar não só a nossa forma de ver, mas também de mudar o mundo. Para melhor e para todos.

MARA GABRILLI é psicóloga, publicitária e política brasileira. Foi vereadora da cidade de São Paulo, deputada federal por dois mandatos consecutivos e atualmente é senadora da República pelo estado de São Paulo. Mara foi reeleita perita independente do Comitê da ONU sobre os direitos das Pessoas com deficiência, e é fundadora do Instituto Mara Gabrilli.

ter sido a relatora e autora do texto final dessa legislação, que é tão grandiosa quanto nossa luta.

Quando falamos de esporte, o mote deste livro tão inspirador, lembro que na LBI fizemos questão também de aprimorar nosso paradesporto. Conseguimos aumento do repasse de recursos das loterias federais do país para o Comitê Paralímpico Brasileiro. Essa mudança necessária garantiu condições de igualdade ao paradesporto em relação às demais modalidades não paradesportivas. Possibilitou ainda recursos para a capacitação e o treinamento de ponta de nossos atletas, que hoje podem apresentar melhores condições de competitividade com atletas internacionais. Foi com essa aprovação que conseguimos finalizar a implantação e realizar a manutenção do Centro de Treinamento Paralímpico Brasileiro, inaugurado em 2016 na cidade de São Paulo.

Acredito que o esporte é realmente uma das maiores ferramentas de inclusão que uma nação pode oferecer. E, quando falamos de paradesporto, a transformação é ainda mais profunda, porque provocamos um pensamento para além do espectro esportivo. É a oportunidade de a sociedade enxergar a diversidade humana sob uma nova ótica, sem capacitismo, sem diferenças. É a chance de ampliar o olhar para possibilidades — as nossas, inclusive. Por isso, projetos como o Instituto Remo Meu Rumo são tão importantes. Além de reabilitar pessoas com deficiência, engendram transformações sociais.

Passear entre passado e presente me mostra que a Mara parlamentar ainda carrega muito da Mara que um dia correu maratona. Histórias se cruzam e me levam a um ponto crucial: o meu amor pelo movimento. O movimento metafísico, que transcende o concreto. O movimento que me faz desafiar o *status quo*.

Assim, fui vereadora e deputada federal por duas vezes. Fui também eleita a primeira representante do Brasil no Comitê da ONU sobre os Direitos da Pessoa com Deficiência, uma disputa em que obtive votos de 103 países. No mesmo ano, 2018, concorri ao Senado e cá estou hoje representando nosso estado de São Paulo. Em 2022 também disputei o cargo de vice-presidente na eleição mais polarizada e acirrada da história do nosso país.

Tenho muito orgulho desses movimentos em minha trajetória. Enche meu peito de alegria saber que hoje temos legislações que garantem às pessoas com deficiência direitos que, quando batalhava na ONG, pareciam inalcançáveis.

Olhar para esse Brasil de hoje, que obviamente não é o ideal, mas já melhorou muito, me faz ver o quanto nós, pessoas com deficiência, temos a capacidade de transformar e provocar melhorias que têm impactos positivos na vida de todo mundo.

Nessas quase três décadas de vida pública, fui a primeira pessoa com deficiência a ocupar lugares até então vetados. Hoje, Câmara e Senado são acessíveis porque uma tetraplégica chegou até lá, e reformas precisaram ser feitas. Abrimos um caminho que permanecerá para todos trilharem.

Temos ainda a nossa LBI, a Lei Brasileira de Inclusão da Pessoa com Deficiência (Lei n. 13.146/2015), relatada por mim quando ainda era deputada federal. Falamos de uma legislação construída por muitas mãos e corações. O primeiro projeto de lei no país traduzido integralmente para a Língua Brasileira de Sinais (Libras), com cidadãos surdos, cegos, com deficiência intelectual e representantes da sociedade civil em peso opinando e sugerindo mudanças à redação. Uma redação que combate todas as formas de discriminação e garante direitos na saúde, na educação, no trabalho, na cultura, no lazer... É uma honra

Quando passei a respirar livremente, me senti capaz de tudo. A sensação de liberdade era tão grande que passei a só contabilizar ganhos. Três anos depois, em 1997, resolvi fundar uma ONG.

Nessa época, passei a ver de muito perto a realidade das pessoas com deficiência. Eu já era muito ligada à causa da inclusão, mas, após perder o movimento de braços e pernas, passei a sentir na pele o quanto o Brasil era despreparado para atender essa população. As pessoas com deficiência não tinham acesso a transporte, não podiam estudar, trabalhar, não tinham condições de comprar um tênis para praticar um esporte. Muita gente que conheci buscava no paradesporto um sustento. Vi de muito perto quem competia por um prato de comida.

Nesse triste cenário, com a ajuda de amigos, comecei a trabalhar na ONG para apoiar atletas com deficiência e também estimular pesquisas para a cura de paralisias. Tenho muito orgulho de ver que o Projeto Próximo Passo, braço do Instituto Mara Gabrilli voltado para o paradesporto, existe até hoje e a cada dia apoia mais esportistas que colecionam vitórias e inspiram novas gerações. Foram esses guerreiros invisibilizados que me levaram a alçar a voos maiores.

Depois de anos batalhando na ONG, resolvi acatar o conselho de minha mãe e me candidatei ao primeiro cargo público: sem apoio e conhecimento político, disputei uma vaga na Câmara Municipal de São Paulo. Obtive votos que me garantiram a suplência.

Nesse ínterim, fui convidada pelo então prefeito de São Paulo, José Serra, a comandar a primeira Secretaria das Pessoas com Deficiência do Brasil. E conseguimos grandes feitos. Desenvolvemos projetos em diversas áreas, como infraestrutura urbana, educação, saúde, transporte, cultura, lazer, emprego... Foi dessa maneira que entrei de fato para a política, pela porta do bem.

Fui uma menina que subia em árvores e passava horas no quintal inventando acrobacias. Plantava bananeira e me sentia numa competição de ginástica olímpica. Minha mãe conta que essa hiperatividade é uterina. Chutei muito na barriga e, ao vir ao mundo, troquei o chute pelas corridas. Eram patins, bicicleta, skate, motinho... Nos finais de semana, jogava tênis, esquiava, nadava. Era olhar para a água e me sentir um peixe. Mais tarde, já adulta, quando fui morar sozinha, aos dezoito anos, essa energia inesgotável estava incorporada a meu cotidiano. Cheguei a reformar meu apartamento inteiro sozinha. Lixei, passei massa fina, pintei paredes e teto. Curtia movimentos braçais, do tipo lavar banheiro e fazer faxina na casa inteira.

Quando saí do Brasil, em busca de independência, morei em um prédio antigo, sem elevador, e para tudo que precisava fazer tinha de encarar 120 degraus, o que não me impedia de sair diversas vezes por dia. Eu descia correndo e potencializava o exercício andando de bicicleta. Fazia tudo na cidade de bike. Vivi o suprassumo do que me fazia feliz: me movimentar. Foi nessa época, inclusive, que corri uma ultramaratona de 100 quilômetros que durou quase vinte horas. Era uma atleta amadora, e sem preparo algum resolvi encarar a prova com amigos. Não imaginava chegar ao final. Mas cheguei.

Já imaginou como uma pessoa assim poderia ficar paralisada do pescoço pra baixo?

A tetraplegia surgiu em minha vida depois de ter flertado com a morte em um acidente de carro. Perdi os movimentos do pescoço para baixo, a fala e a capacidade de respirar sem o suporte de aparelhos. Em um piscar de olhos vi tudo que sempre fora disponível se esvair. Precisei focar no universo da paralisia, entender meu novo corpo e reaprender a fazer do mais básico ao complexo.

REMAR CONTRA A MARÉ

Mara Gabrilli

Meu corpo é um paradoxo. Uma disputa constante entre a inércia imposta e minha energia vital, que está sempre em busca de transgredir a paralisia. Quebrei o pescoço há quase três décadas e, de lá pra cá, criei conexões que me proporcionaram movimentos impensáveis. É algo tão visceral que muitas vezes foge da minha própria compreensão. É como se a Mara criança, que tentava fazer "mortal" no quintal, soprasse em meu ouvido todo dia dizendo: "Treine, Mara, treine! Tudo o que você precisa está dentro de você".

Norteei minha vida assim, com esse pensamento quase obstinado de um atleta. Passei vinte anos sendo empurrada por outra pessoa até conseguir recrutar pequenos movimentos nos braços que me permitiram pilotar minha própria cadeira de rodas e alcançar o prazer da autonomia.

Foram duas décadas apostando em treinos com eletroestimulação, uma técnica que até então diziam não ter serventia para alguém com minha lesão medular. A verdade é que eu nunca quis fazer parte de um quadro e aceitá-lo como verdade absoluta. Sempre acreditei que o maior protagonista da minha vida poderia ser o movimento. Olhando para minha história, não consigo me ver de outro jeito. Acho que remar contra a maré é meu esporte favorito.

Competimos várias vezes juntos no World Masters Games, cada um em sua modalidade.

A Dra. Patricia Moreno foi uma das colegas do Candido que vim a conhecer nessas competições. Descobri depois que, além de remadora, era uma ex-jogadora de vôlei!

A atuação da Dra. Patricia Moreno como ortopedista cirurgiã da Pediatria do Instituto de Ortopedia e Traumatologia (IOT) Hospital das Clínicas em São Paulo ultrapassou os limites das salas cirúrgicas. Junto com seu marido, Ricardo Marcondes Macéa, com o Candido e a multicampeã de remo e psicóloga Ana Helena Puccetti, ela sonhou e desenvolveu um projeto de reabilitação biopsicossocial. Seu objetivo é oferecer a crianças e adolescentes com deficiência atividades esportivas em meio à natureza, ao ar livre, em um ambiente que estimulasse as crianças a comparecerem.

Dessa maneira, o projeto propicia a melhoria da mobilidade e equilíbrio, o fortalecimento físico e emocional, a interação social e, principalmente, a recuperação da autoestima.

O Instituto Remo Meu Rumo, um projeto lindo que está em atividade desde 2013, não apenas deu super certo como também continua ajudando crianças com deficiência a superar suas limitações, acreditando em si mesmas, se mantendo fortes e saudáveis e, sobretudo, mais independentes e felizes.

Parabéns a todos que acreditaram no sonho e a todos que se dedicam ao Instituto Remo Meu Rumo!

SILVIA REGINA MONTANARINI é ex-jogadora da Seleção Brasileira de Voleibol e professora de Educação Física.

Meu irmão Marcos iniciou ainda na infância a prática do basquete também nas quadras do Esporte Clube Pinheiros, posteriormente se transferindo para a Sociedade Esportiva Palmeiras.

Aos dezesseis anos recebi minha primeira convocação para a Seleção Brasileira adulta de voleibol, disputando o Sul-Americano em 1971 no Uruguai.

Atuei pelo Brasil em três Jogos Sul-Americanos (dois adultos e um juvenil), dois Jogos Pan-Americanos e dois Campeonatos Mundiais.

Nosso sétimo lugar no Mundial de 1978 na Rússia foi um resultado bastante significativo para a época, já que não existia ainda no Brasil nenhum tipo de apoio ao atleta nem condições apropriadas de treinamento para uma competição daquele nível.

Integrei equipes de grandes clubes em São Paulo, conquistando muitos campeonatos regionais e nacionais.

Joguei também em duas temporadas por equipes na Itália.

Paralelamente ao voleibol, obtive minha graduação em Educação Física. Trabalhando como professora em várias escolas de São Paulo, com alunos oriundos de diferentes estratos sociais, tive a grande oportunidade de reafirmar a influência positiva que o esporte pode trazer para a vida de crianças e jovens, como disciplina, trabalho em equipe, superação, respeito, aceitação das frustrações, melhora da autoestima. São vivências que ajudam na formação do caráter das crianças e as preparam para a vida.

Quando conheci o Candido Leonelli, conheci também a Raia Olímpica da USP e vários atletas que praticavam o esporte remo com meu futuro marido. Tínhamos em comum o amor pelo esporte: ele pelo remo e eu pelo voleibol.

Candido e seus colegas participavam de torneios internacionais master de remo, e em pouco tempo eu e minhas colegas master de voleibol fomos convencidas a participar também.

MINHA HISTÓRIA NO VOLEIBOL: UMA FAMÍLIA LIGADA AO ESPORTE

Silvia Regina Montanarini

Praticar esportes era um caminho natural para os integrantes da minha família, que contava com uma referência determinante: meu pai.

Americo Montanarini, o "Monta", foi atleta olímpico do Brasil no basquete, tendo participado dos Jogos de Berlim em 1936 ainda aos dezoito anos. Ele teve muita relevância no cenário do esporte no país até o final dos anos 1940.

Minhas primeiras memórias esportivas surgem com meus irmãos e meu pai (sempre supervisionado por minha mãe, Vera) nos ensinando a nadar na infância, durante as férias escolares na praia, e também praticando conosco os fundamentos básicos tanto do vôlei quanto do basquete no Clube Indiano, que frequentávamos nos finais de semana em São Paulo.

O Esporte Clube Pinheiros foi o clube em que eu e minha irmã, Cassia, iniciamos nossa carreira no voleibol em 1967.

Cassia viria a ter também uma trajetória de destaque, atuando por diversos anos nas Seleções Paulista e Brasileira em competições nacionais e internacionais. Em muitas vezes fomos companheiras nas quadras.

Ricardo se graduou e obteve pós-graduação em Informática, Finanças e Governança Corporativa, construindo uma carreira internacional de destaque. Ambos agora desfrutam de vidas familiares sólidas e aspiram a impactar positivamente a sociedade com base em suas experiências.

Alguns dos destaques de suas carreiras incluem:

– Participação em três edições dos Jogos Olímpicos: Moscou em 1980, Los Angeles em 1984 e Seul em 1988.

– Finalistas em campeonatos mundiais, disputaram provas olímpicas, com destaque para o quinto lugar em Nottingham em 1986, o resultado técnico mais expressivo da dupla em competições globais no dois sem.

– Conquista de dois títulos consecutivos nos Jogos Pan-americanos: Caracas em 1983 e Indianápolis em 1987.

– Medalha de prata na Olimpíada Universitária de Zagreb, em 1987.

– Seis vezes campeões sul-americanos, com três títulos consecutivos no dois sem, dois no quatro sem e um no oito.

RICARDO E RONALDO CARVALHO são remadores olímpicos brasileiros.

Enfrentando desafios de ambos os lados, os irmãos se tornaram atletas de alto desempenho, passando da adolescência à juventude adulta. Sua rotina exigia disciplina, treinamento intensivo, superação de obstáculos e constante aprendizado, tanto físico quanto mental. Eles até mesmo inovavam, adaptando tecnologias, como equipamentos de ciclismo, ao esporte do remo, em uma época em que a internet ainda não estava disponível para facilitar o acesso à informação.

Após os treinos matinais, seguiam para os estudos, enfrentando currículos acadêmicos desafiadores e estágios profissionalizantes. À tarde, voltavam para mais sessões de treinamento e o estudo de idiomas como inglês e espanhol. Viagens frequentes, incluindo estadias de dois meses no exterior, eram comuns. No meio de tudo isso, eles buscavam manter uma vida social saudável, mantendo laços com amigos e familiares e enfrentando os desafios comuns a todos.

Além do apoio dos familiares, os irmãos contaram com o suporte de uma rede de profissionais, dirigentes e patrocinadores ligados ao esporte, em especial do pai e técnico da dupla, José de Carvalho Filho, um exemplo de atleta e de profissional. Tinham ídolos que admiravam e companheiros campeões que se tornaram amigos leais. Essa colaboração foi fundamental para suas carreiras esportivas bem-sucedidas, e muitos dos ensinamentos do esporte foram aplicados a suas vidas profissionais.

Ronaldo e Ricardo, remando juntos no barco dois sem, conquistaram resultados notáveis tanto nacional quanto internacionalmente. Além de seus feitos esportivos, eles se tornaram inspiração para outros atletas, incentivando muitos a se aventurarem no mundo do remo. Em suas vidas pós-esporte, ambos alcançaram sucesso em suas respectivas profissões: Ronaldo seguiu os passos de seu pai, tornando-se dentista, enquanto

OS IRMÃOS DA LAGOA

Ricardo e Ronaldo Carvalho

Ricardo e Ronaldo Carvalho eram jovens oriundos do Rio de Janeiro, uma cidade banhada pelo mar e lar do remo brasileiro. Filhos de Itasita, dedicada funcionária pública federal, e de José de Carvalho Filho, dentista e renomado remador olímpico, a família Carvalho tinha a praia de Ipanema como extensão de seu lar. Isso inspirou os pais a incentivar seus filhos a mergulharem no mundo dos esportes aquáticos, começando com a natação. Assim os irmãos deram os primeiros passos em suas jornadas esportivas.

Acompanhando o pai atleta, os irmãos acordavam cedo, às 5 horas da manhã, para remar com ele nas águas da Lagoa Rodrigo de Freitas. Em seguida, dedicavam-se à natação no mesmo clube, com os treinos matinais iniciando às 7 horas. Foi assim que a paixão pelo remo floresceu, um legado transmitido de geração em geração.

Após três anos de dedicação à natação, Ronaldo sentiu que seu verdadeiro chamado estava nas águas do remo. Dois anos mais tarde, Ricardo seguiu o mesmo caminho, ambos trazendo consigo os benefícios físicos e mentais adquiridos na piscina, que serviram como uma base sólida para suas futuras carreiras.

Os irmãos trilharam seus caminhos no esporte com o apoio inabalável dos pais, que sempre enfatizaram a importância de equilibrar os estudos com a paixão esportiva.

Essa orientação foi crucial para moldar não apenas suas habilidades atléticas, mas também suas vidas pessoais.

Tanto empenho e dedicação não poderiam levar a um desfecho diferente: fomos para o Japão certos de que tínhamos feito o nosso melhor. Os quarenta últimos dias pré-competição na Raia da USP nos mostram tempos bem competitivos, nos credenciando a sonhar.

A viagem aconteceu e foi uma edição paralímpica tensa, pois o tempo todo havia o temor da contaminação pelo coronavírus, o que me obrigaria a ficar fora dos Jogos. Contudo, já estava escrito nas linhas do tempo e Deus permitiu que eu fizesse uma competição excelente, conseguindo obter pela primeira vez na história da modalidade no Brasil uma medalha paralímpica em uma embarcação individual. Indo para a final com o segundo melhor tempo, acabei ficando com a terceira colocação e sendo medalhista paralímpico de bronze.

RENÊ CAMPOS PEREIRA é remador paralímpico brasileiro, medalhista de bronze nas Paralimpíadas de Tóquio, a única medalha olímpica da história do remo brasileiro, além de médico ortopedista e psiquiatra.

dos jogos, no Estádio do Maracanã no Rio de Janeiro, dentro do meu país, ao lado de amigos e familiares. Naquele momento eu consegui, após dez anos de lesão, dar um verdadeiro sentido ao que tinha até ali e de certa forma ser grato por tudo.

Acabei ficando em sexto lugar nos Jogos Paralímpicos, participando da grande final A, sendo essa a melhor participação do Brasil em uma edição paralímpica.

Finalizados os Jogos do Rio, percebi que seria necessário fazer um ciclo paralímpico completo e permanecer no esporte por mais um tempo. A Paralimpíada seguinte seria em Tóquio, no Japão, e para isso eu teria que permanecer como melhor do Brasil e entre os melhores do mundo. Assim, fui acumulando títulos, chegando aos recordes de heptacampeão brasileiro e tetracampeão sul-americano. Em 2019, na Áustria, me credenciava de forma antecipada para os Jogos de Tóquio e agora a sede e a gana seriam por uma inédita medalha.

Não poderia ser diferente e a trajetória não foi fácil: o mundo foi submetido a uma pandemia no ano de 2020, ano esse em que estariam ocorrendo as Paralimpíadas. Por esse motivo, os Jogos foram adiados para 2021.

Esse sim foi um ano mágico, em que coloquei todos os meus aprendizados à prova. Na Bahia, por falta de local adequado para treinos, me mudei para o litoral norte seis meses antes dos Jogos, passando a morar e a treinar do lado de uma lagoa que havia descoberto. Frequentemente estava em São Paulo treinando no Comitê Paralímpico Brasileiro (CPB) e na Raia Olímpica da USP, onde utilizava o espaço do Remo Meu Rumo como base e ainda contava com o apoio de César Moreira, que, além de funcionário-professor dessa instituição, já fazia parte da equipe técnica da seleção desde 2015 e com o qual eu já tinha grande afinidade esportiva e de amizade.

como sede nos *campings* de Seleção Brasileira e, no meu caso, por quarenta dias na preparação para os Jogos Paralímpicos de Tóquio, momento que talvez tenha sido o ápice da minha carreira.

Pois bem, retornando para o ano de 2012, conheci o remo por intermédio de um amigo do Sarah. Logo nos meus primeiros testes no simulador, percebi ser algo mais condizente com meu biotipo. Em 2012 e 2013, em virtude de demandas familiares e da pós-graduação, tive que me afastar um pouco, certo de que em 2014 voltaria com tudo, no intuito de buscar a vaga para os Jogos Paralímpicos do Rio 2016.

Meu primeiro Campeonato Brasileiro de Remo foi disputado em São Paulo na categoria que hoje é a PR1, com catorze atletas ficando com a terceira posição. O próximo passo seria o SNAR (Sistema Nacional de Avaliação de Remadores). Com um simulador de remo adquirido fora do país e que ficava no meio da sala, passei a treinar diariamente e comecei a estabelecer os melhores tempos do país. Pouco tempo depois, fui chamado pela Seleção Brasileira de Remo para um *camping* de quarenta dias na Itália. Viajei como convidado e voltei como titular da Seleção após participar de três eventos, incluindo a Copa do Mundo, na qual fiquei com a quinta colocação.

Depois de me credenciar como melhor do país tanto na água como na máquina, me credenciei para ser o representante que estaria no Mundial da França, classificatório para as Paralimpíadas do Rio 2016, conseguindo uma classificação inédita para o Brasil, de novo com o quinto lugar. Inédita porque o Brasil, até então, só havia conseguido a vaga na segunda tentativa, já no ano olímpico.

O caminho até a classificação não foi fácil; durante os preparativos tive uma costela fraturada, o que influenciou muito minha autoconfiança, mas que por fim concretizou um sonho que tive certeza de estar vivenciando quando entrei na abertura oficial esporte que poderia me auxiliar também. Dessa forma, por meio do esporte passei a ter uma sensação de estar me libertando. Eu já experimentava uma sensação de bem-estar, conseguia me governar melhor e percebia uma melhora na autoestima.

Nos anos seguintes, acelerando o tempo, acabei me casando e, com um filho a caminho, voltei a pensar na Medicina. Vi que a Ortopedia não era mais uma opção e acabei por fazer uma pós-graduação em Medicina do Esporte e em Psiquiatria. Não tendo deixado de manter uma atividade física e a fisioterapia, em algum momento o espírito competitivo se aflorou. Lembro de ter me questionado: "Já que tenho que vir todos os dias fazer fisio e natação, por que não competir?".

Dessa forma, passei a focar nesse viés. Cheguei a participar de um campeonato Norte-Nordeste de natação estilo livre 50 metros e fiquei com a terceira colocação. Essa competição foi um divisor de águas, pois pude ver que existia esporte competitivo pós-lesão e tive a oportunidade de conviver com inúmeras pessoas com diversas deficiências.

Agora, antes mesmo de começar a falar da minha mudança para o remo, esporte em que ganhei destaque em nível nacional e internacional, faço uma pausa para um momento de reflexão sobre a importância do esporte no que diz respeito a saúde, diversidade e inclusão. Nesse contexto, o Instituto Remo Meu Rumo tem sido um grande instrumento na mudança de vida de inúmeras crianças e adolescentes, o que já tive a oportunidade de vivenciar presencialmente, pois convivi com os participantes do projeto em diversas idas minhas a São Paulo com intuito de treinamento.

Considero o Instituto um exemplo de empreendedorismo social, contando com estrutura física e pessoal capacitado e utilizando o remo como ferramenta de inclusão. Apesar de o foco não ser o alto rendimento, em várias ocasiões nos serviu minha vida normalmente, mas percebia que faltava alguma coisa, alguma adrenalina maior na corrente sanguínea, quem sabe. Em 2004 me formei pela EBMSP, a Escola Bahiana de Medicina e Saúde Pública, e no ano seguinte servi à Marinha do Brasil como tenente médico. Em 2006 comecei a residência em Ortopedia. Seis meses depois, a surpresa: diagnóstico de um abscesso epidural (espécie de furúnculo que nasceu dentro do canal medular, causando uma compressão neurológica). Fui submetido então a uma laminectomia (cirurgia para descompressão da coluna), porém, sendo uma lesão neurológica, o prognóstico era de ser cadeirante pelo resto da vida.

Aos 26 anos, então, iniciei uma nova jornada. Os três primeiros anos sem dúvida foram os mais difíceis. Na verdade eu não conseguia fazer quase nada, ficava na cama em decúbito dorsal e até para virar de lado precisava de ajuda. Lembro que era necessário usar fraldas geriátricas, algo bem complexo para mim na época. Tinha ainda a ansiedade... eu sempre tive uma personalidade ansiosa, de querer fazer muitas coisas ao mesmo tempo e no meu tempo programado, e, quando me vi naquela situação, fiquei angustiado: e agora, como será? Vou ficar nessa situação para sempre?

Não cheguei a jogar a toalha não; mantive a esperança de que as coisas de alguma forma iam dar certo, mas sempre regada a alguma dose de ansiedade, incomodado em estar naquela situação e com a dificuldade de ter que lidar com o tempo e ser obrigado a esperar.

Passado um ano nessa situação, comecei a frequentar a Rede Sarah para tratamento de reabilitação, e foi dessa forma que comecei a ter a sensação de estar me recuperando. Passava o dia no Sarah e, quando saía, ia para a piscina olímpica de um clube em Salvador praticar um pouco de natação, acreditando ser um

HISTÓRIAS DE UM MÉDICO CAMPEÃO

Renê Campos Pereira

Me chamo Renê Pereira, nascido em Itapetinga, na Bahia, no início da década de 1980. Desde muito cedo acalentava o sonho de ser esportista, um campeão olímpico ou um jogador destacado no futebol. Tudo levaria a crer, no entanto, que teria que me contentar com o amadorismo, já que era direcionado pelos meus pais ao estudo. Os desafios seriam grandes, mas eu não poderia imaginar o tamanho deles e que eu precisaria que o provérbio "Há males que vêm para o bem" mais uma vez viesse a se confirmar.

Ainda garoto, pratiquei com bons resultados vários esportes, entre eles o caratê (me graduei em faixa preta), o tênis e, principalmente, o futebol. Este último era minha grande paixão, tendo convivido por cinco anos em estádios, acompanhando meu pai, que era dirigente do time municipal da cidade em que morávamos e sendo aprovado em testes de futebol de base do Vitória e Bahia. Mas não me foi permitido deixar Itapetinga, com o argumento da pouca idade para sair de casa.

Aos dezessete anos, já morando em Salvador, tive outra oportunidade de me profissionalizar ao participar da Copa São Paulo de Futebol Júnior. Como tinha acabado de passar no vestibular de Medicina, terminei priorizando o estudo.

A vida seguia seu curso normal, e o sonho de infância ia sendo consolado com as atividades do esporte amador. Eu tocava

Ainda lembro com emoção do instante que mais me marcou: quando subi no pódio com a minha filha Alice no colo e cantei o Hino Nacional. Foi a coroação de uma vida inteira dedicada ao esporte. Não há nada mais satisfatório que você alcançar o seu sonho. Vá em busca do seu.

FABIANA BELTRAME é a primeira remadora brasileira a competir em Jogos Olímpicos – Atenas 2004 e a primeira campeã mundial de Remo do Brasil, na Eslovênia, em 2011. Fabiana também foi medalhista pan-americana, sul-americana e brasileira diversas vezes.

Eu não poderia ter motivação melhor. Comecei 2011 treinando intensamente.

O objetivo principal era o Campeonato Mundial, que é a principal competição do ano. Mas, antes disso, conquistei a minha primeira medalha de ouro na Copa do Mundo de Hamburgo, na Alemanha. Foi uma medalha muito comemorada quando cheguei ao Brasil, mas eu não podia perder o foco principal. Por isso não tive descanso: no dia seguinte já voltei aos treinos.

Algumas semanas depois, viajamos para Bled, na Eslovênia, onde foi realizado o Campeonato Mundial. Comecei a competição muito bem e me classifiquei para a final, mas não era a favorita. No dia da final, estava totalmente concentrada. Quando coloquei o barco na água e comecei meu aquecimento, passou um filme na minha cabeça. Todo o suor derramado, todo o sacrifício feito, as dores, as frustrações e as alegrias também.

Aquilo foi me enchendo de motivação a cada remada que eu dava. E, quando me alinhei entre as adversárias, me senti completamente preparada. Sabia que estava exatamente onde queria estar.

Foi dada a largada e desde a primeira remada eu saí decidida e já me coloquei na frente de todas as adversárias. Mesmo em vantagem, não aliviava nenhuma remada porque pensava que a qualquer momento alguém podia me ultrapassar. Então só fui remando com todas as minhas forças. Quando cruzei a linha de chegada em primeiro lugar, foi um turbilhão de emoções.

A conquista de um sonho é surreal. Ao mesmo tempo que eu lutei tanto para que aquilo acontecesse, custei a acreditar que realmente tinha conquistado. E, naquele momento, percebi que tudo valeu a pena: toda a preparação, todas as derrotas, todos os obstáculos me fizeram chegar àquele lugar, àquele momento.

brasileira a competir em Olimpíadas. Um marco muito importante na minha carreira de atleta. Nos Jogos Olímpicos, fiquei na 14ª colocação. Quatro anos depois também me classifiquei para os Jogos Olímpicos de Pequim e fiquei na 19ª posição. Ainda estava longe do meu objetivo, mas participar da maior festa do esporte mundial foi uma experiência única. E fazia parte do processo, porque nada acontece da noite para o dia.

Depois dos Jogos Olímpicos, eu e meu companheiro, Gibran, decidimos ter um filho. E no final de 2008 eu engravidei. Me mantive treinando na medida do possível, porque ainda tinha um sonho que seria apenas adiado por outro sonho: o de ser mãe. Tive uma gravidez maravilhosa e a Alice nasceu no dia 1º de setembro de 2009. Eu não imaginava todas as mudanças que esse bebê traria para minha vida, pessoal e profissional.

Apenas 45 dias depois do parto já voltei a treinar. Nossa rotina era puxada. Acordávamos às cinco da manhã e eu ia no carro amamentando. Quando chegávamos ao clube, ela ficava com uma babá enquanto treinávamos. Isso fora todas as noites maldormidas que só quem já teve um bebê em casa sabe como é. E, com essa rotina de treinamento e amamentação, acabei emagrecendo bastante sem muito esforço. Fiquei bem próxima da categoria peso-leve e decidi tentar, porque era uma categoria mais próxima do meu biotipo. Quando mudei de categoria, conquistei minha primeira medalha na Copa do Mundo de Lucerna, um bronze que foi muito festejado. Uma conquista inédita.

No ano seguinte, o presidente da Confederação Brasileira me chamou para conversar. Ele disse que estava muito orgulhoso dos meus resultados e que queria investir mais em mim. Então, propôs que eu passasse alguns meses treinando na Europa para me preparar melhor; eu poderia levar minha família comigo.

medalha de prata que conquistamos. A partir daí, vencemos todas as provas do Campeonato Estadual. Já era um sinal do que vinha pela frente.

Era hora de pensar no degrau seguinte, o Campeonato Brasileiro. E, como o objetivo era maior, o esforço também tinha que ser. Iríamos competir contra clubes grandes, com muito mais estrutura e barcos de última geração, como Vasco, Flamengo e Botafogo. Então passamos a treinar duas vezes por dia.

E todo o esforço valeu a pena: nos tornamos campeãs brasileiras. E aquele momento também foi um divisor de águas para mim, porque eu percebi que queria mais. Queria me tornar uma atleta profissional. Eu queria ser a melhor e iria lutar para isso. Sabia que não ia ser fácil, mas esse desafio era o que me movia.

Começamos a nos destacar no remo nacional, por isso fomos convocadas pela Confederação Brasileira para competir no Campeonato Sul-Americano no Peru, em 2001.

Vestir a camisa do Brasil pra representá-lo é muito emocionante, um sonho realizado. E a primeira vez é inesquecível. Competimos bem e conquistamos a medalha de prata. Para a primeira competição pela Seleção, era um ótimo resultado. Subi mais um degrau em busca do meu sonho.

Os anos foram passando e fui me tornando cada vez melhor. Vencia todos os Campeonatos Brasileiros que competia. Até que, no final de 2003, meu técnico, Júlio, me falou da possibilidade de ir para os Jogos Olímpicos. Fiquei extasiada.

A partir daquele momento, se eu já dava 100% nos treinos, passei a dar 200%. Fazia tudo o que o técnico pedia e não faltava a nenhum treino. Já me imaginava nos Jogos Olímpicos.

O primeiro passo foi vencer a seletiva nacional. Depois me classifiquei entre as cinco melhores remadoras na qualificatória olímpica da América Latina, me tornando a primeira remadora

EM BUSCA DE UM SONHO

Fabiana Beltrame

Apenas com uma escolha, a vida pode te levar por caminhos que você nem imagina. Antes de começar a remar, eu tinha planos de fazer faculdade de Medicina Veterinária, mas aos quinze anos o remo entrou na minha vida e mudou todo o meu destino.

Fui uma criança muito ativa. Caçula de uma família de três filhas, eu estava sempre procurando uma atividade diferente para fazer. Até que, um dia, eu e a minha melhor amiga, Denise, passeávamos de bicicleta pela beira-mar norte e avistamos alguns barcos de longe. Ficamos curiosas e decidimos experimentar. No dia seguinte, entramos muito tímidas no Clube Náutico Francisco Martinelli, em Florianópolis, para fazer a nossa matrícula. Na primeira aula aprendemos o movimento da remada e na seguinte já fomos para a água.

E foi nesse momento que realmente me apaixonei por esse esporte. A sensação de mover o barco com a minha própria força e ver a cidade de outro ângulo, de dentro d'água, foi emocionante. Foi aí que o remo me conquistou e mudou minha vida.

Quando comecei a remar, ainda não pensava em ser atleta. Mas as coisas começaram a mudar quando entrei na equipe e me preparei para participar da minha primeira competição. Competimos em um barco duplo, chamado *double skiff*, no Campeonato Catarinense de Remo. Ficamos na segunda colocação, e aquela foi a única das modalidades que contaram com o maior número de atletas na história olímpica brasileira.

Apesar desse passado glorioso, é possível observar um decréscimo no número de praticantes e, consequentemente, de barcos nas competições nacionais e internacionais. Esse declínio só não foi maior porque o remo acompanhou de perto as transformações da sociedade e passou a receber mulheres nas raias e nos barcos. Hoje elas são grandes representantes do esporte brasileiro.

Se a questão ambiental é uma das principais preocupações de entidades nacionais e internacionais, o remo está presente como modalidade esportiva, afinal, um dos fatores do decréscimo de sua prática é a degradação do meio ambiente, com a consequente redução de espaços onde a modalidade pode se desenvolver. Isso levou, inclusive, atletas a navegarem rios e lagoas completamente degradados para chamar a atenção da necessidade de cuidar desses espaços.

Enfim, em vésperas de mais uma edição olímpica, a se realizar em Paris em 2024, vale reavivar a memória dessa modalidade e dos atletas que representaram o Brasil em outros momentos, destacando a necessidade de divulgar entre as novas gerações uma modalidade esportiva que tem um passado cheio de glórias.

KATIA RUBIO é psicóloga e jornalista, professora associada da Escola de Educação Física e Esporte da Universidade de São Paulo (USP), onde coordena o Grupo de Estudos Olímpicos. Mestre em Educação Física, doutora em Educação, fez pós-doutorado em Psicologia Social na Universidade Autônoma de Barcelona. É pesquisadora do Instituto de Estudos Avançados da USP e membro da Academia Olímpica Brasileira.

ganharam espaço físico e a atenção de dirigentes e associados, fazendo o remo decair na preferência dos associados e quase cair no esquecimento do público. No presente, porém, muitas dessas agremiações ostentam nos uniformes de atletas da ginástica, do atletismo e, claro, do futebol, o nome originário da agremiação: clube de regatas!

Diante da popularidade alcançada pela modalidade, era comum que os espaços destinados ao público nas competições estivessem plenamente tomados. Conforme se pode observar nas reportagens dos jornais de época, principalmente entre as décadas de 1930 e 1950, as arquibancadas que rodeavam as raias do rio Tietê, da Lagoa Rodrigo de Freitas ou do rio Guaíba abrigavam milhares de pessoas que acompanhavam atentamente as competições e tinham os atletas como ídolos. A paixão pelos barcos a remo era a mesma, independentemente do sotaque.

Praticado em ambiente natural, o remo desfrutou da fartura das condições ambientais naturais do país, com seus lagos, lagoas, rios e represas, e de sua cultura. Com a chegada dos imigrantes europeus no final do século XIX, ganhou ainda mais destaque e adeptos, em razão do prestígio da modalidade naquele continente. A organização de mais clubes e a ocupação dos espaços náuticos reconhecidos como de qualidade viabilizaram a formação de inúmeras equipes pelo país.

A popularidade do remo e o expressivo número de atletas competitivos levaram a modalidade a ser representada já na primeira participação olímpica brasileira, em 1920, em Antuérpia, na Bélgica. De lá até os dias atuais, o Brasil só não participou dos Jogos Olímpicos de Tóquio, em 1964. Ao todo foram 108 atletas olímpicos, sendo 101 homens e 7 mulheres — estas últimas passaram a competir a partir de 2004, ou seja, quase oitenta anos depois dos primeiros atletas. Essas marcas tornam o remo uma

OS RUMOS DO REMO NO BRASIL

Katia Rubio

O que dizer de uma prática cultural que se torna esportiva e competitiva?

Isso é o remo no Brasil. Se considerarmos que os povos originários utilizavam canoas produzidas a partir daquilo que o meio lhes oferecia para pescar e se locomover pelos inúmeros rios que cruzam o nosso território, poderíamos afirmar que essa é uma das práticas mais antigas. Há que destacar também que, pela costa, a travessia do continente para as ilhas próximas também era feita assim. E não apenas os homens utilizavam as embarcações, mas também as mulheres nos seus afazeres.

Entretanto, é preciso situar e distinguir as práticas culturais de movimento das práticas esportivas. Quando os barcos deixam de ser utilitários para competirem por um resultado, temos aí a mudança de categoria. O esporte e o remo esportivo têm a competição como finalidade, e então se estabelece outra relação entre quem rema, o barco e todos os objetos utilizados com a intenção de chegar a um objetivo.

Na condição de esporte, o remo é uma das modalidades olímpicas mais antigas e longevas na estrutura clubística no Brasil. Muitos dos clubes esportivos do eixo Rio-São Paulo-Porto Alegre nasceram como clubes de remo e assim permaneceram ao longo de décadas. Com o passar dos anos, outras modalidades esportivas apenas para a formação educacional, mas também para a saúde. O investimento no esporte pode ser uma forma de prevenir gastos excessivos com problemas de saúde no futuro.

O papel social do esporte é profundo, formando oportunidades e transformando cidadãos. É um legado que ultrapassa as quadras e campos, impactando positivamente a sociedade como um todo.

RAFAEL CARLOS "BABY" SILVA é um dos maiores judocas brasileiros da história. Medalhista olímpico de judô, bronze em Londres 2012 e no Rio de Janeiro 2016, na categoria acima de 100 kg, sendo o primeiro brasileiro a subir ao pódio nessa categoria. Ele também tem quatro medalhas individuais em campeonatos mundiais e é hexacampeão panamericano. É atleta do Esporte Clube Pinheiros. Exemplo de dedicação, superação e talento no judô brasileiro, seu apelido "Baby" vem de seu jeito tranquilo e gentil. Rafael tem 2,03 cm e 160 kg. Ele ainda busca realizar seu sonho de conquistar uma medalha de ouro olímpica.

o treinamento tornou-se mais intenso, com o desejo de sentir isso novamente. No Rio, conquistei mais uma medalha, uma experiência engrandecedora. Em Tóquio infelizmente não foi possível, mas todas essas vivências foram valiosas.

O que considero mais significativo é saber que já passei por diversas etapas do ciclo olímpico, desde ser um atleta iniciante até assumir o papel de atleta mais experiente da equipe. Essa posição me permite compartilhar o conhecimento adquirido com os colegas mais jovens, destacando a importância do trabalho em equipe e mostrando que todos evoluem juntos em busca do mesmo objetivo.

Também é crucial mencionar a importância de profissionais que desempenham papéis fundamentais nessa trajetória, como os nutricionistas, técnicos, fisioterapeutas e psicólogos. Gerenciar essas relações é, por si só, um desafio, mas todos trabalham unidos em prol do mesmo objetivo, o que é extremamente gratificante.

A nobre missão de um atleta olímpico reside em inspirar a prática esportiva e disseminar os valores olímpicos. Essa incumbência tem proporções significativas, uma vez que uma medalha olímpica se converte em um triunfo compartilhado que gera um impacto positivo duradouro. Quanto mais as pessoas se envolverem no esporte, mais estarão aptas a cultivar virtudes como a tolerância à frustração, a resiliência e a empatia. Essa é a essência da minha missão.

Para mim, é impossível dissociar a educação do esporte, pois ambos têm o poder de transformar a sociedade em algo mais igualitário. No entanto, lidar com a diversidade é complexo, e em muitos lugares falta até mesmo uma sala de aula adequada; imagine uma quadra de qualidade.

É imperativo que políticas públicas robustas coloquem o esporte como prioridade, mostrando que ele é fundamental não semana dedicados a competições, distância da família e amigos, além de uma rotina de treinamento intensa que limita a participação em outros projetos. É uma escolha que faz parte do caminho para obter resultados. Embora seja pesada, é muito gratificante, já que essas renúncias trazem resultados notáveis.

Para crianças e jovens aspirantes a atletas, recomendo que aprendam a valorizar o processo, compreendendo que ele demanda perseverança e uma busca incessante pela melhoria. Com o tempo eles irão perceber que as renúncias diárias culminarão no sucesso almejado. Essa jornada é uma presença constante em todas as fases de nossas vidas. São as ações e dedicação diárias que moldam o legado de memórias que teremos.

O esporte me presenteou com uma coletânea de memórias valiosas, e não me refiro apenas aos resultados, mas ao aprendizado ao longo do caminho. O ciclo olímpico é uma jornada de longo prazo, semelhante a uma maratona, não a uma corrida de 100 metros. É uma construção formada por muito treinamento e inúmeras competições que nos prepara para mostrar, em um único dia, toda a bagagem adquirida.

Uma das lembranças mais valiosas que as Olimpíadas proporcionam é a experiência de chegar à Vila Olímpica. Esse evento esportivo representa uma verdadeira dualidade de sentimentos. Por um lado, é desafiador e emocionante, pois é a concretização de um sonho. Você tem a chance de cruzar com Usain Bolt e Rafael Nadal, mas, ao mesmo tempo, precisa manter uma concentração inabalável, já que tem uma oportunidade única de mostrar todo o seu trabalho e fazer valer o esforço que dedicou até então. É uma experiência tão singular que faz desejar eternizar cada momento, pois só se vivencia isso uma vez a cada quatro anos.

Quando conquistei minha primeira medalha olímpica, foi um alívio e uma sensação indescritível. A partir desse momento, anjos também, que me ajudaram imensamente. Não posso deixar de mencionar meus companheiros de equipe, que se tornaram uma segunda família. A meu ver, o esporte tem, inegavelmente, o poder de unir as pessoas.

Receber esse apoio foi decisivo para que eu continuasse nessa jornada. No entanto, acredito que o que realmente me trouxe até aqui foi o meu propósito de me desafiar, tornar-me um atleta olímpico e conquistar uma medalha para o meu país.

Hoje, no meu quarto ciclo olímpico, percebo um propósito ainda maior, que é inspirar crianças e jovens a praticar esporte e a buscar seus próprios objetivos.

Em 2010, durante meu primeiro campeonato mundial, percebi que estava me transformando em um atleta de alto rendimento e que meu progresso era contínuo. Essa experiência validou meu comprometimento com o esporte, mesmo que não tenha conquistado medalhas nos mundiais. Na verdade esses eventos se tornaram uma valiosa etapa de preparação para as Olimpíadas de 2012. Por meio deles, assimilei importantes lições sobre os valores do esporte, como a resiliência, a capacidade de lidar com vitórias e derrotas, a importância do trabalho em equipe e a fundamental contribuição do apoio familiar.

Houve momentos em que pensei em desistir, especialmente quando tive que deixar minha cidade natal, no norte do Paraná, com apenas 50 mil habitantes, para me aventurar em São Paulo, um mundo totalmente diferente. Deixar amigos e família e construir novas conexões foi um desafio.

As lesões foram outro desafio constante, exigindo resiliência, persistência e fé para que eu continuasse no caminho.

Não vejo a vida de um atleta como substancialmente diferente da de qualquer outro profissional; todos enfrentamos desafios. Minha maior renúncia envolve feriados inexistentes, fins de

MEMÓRIAS INESQUECÍVEIS: O JUDÔ EM MINHA VIDA

Rafael "Baby" Silva

O alto rendimento não se mostrou uma realidade na minha infância, uma vez que iniciei no judô tardiamente. Comecei com o caratê aos cinco anos, uma paixão que cresceu enquanto praticava. Foi meu avô quem me introduziu nesse mundo, mas dei uma pausa e retornei aos quinze anos, uma idade considerada tardia para quem sonha chegar às Olimpíadas e competir em alto nível. No entanto, sou a prova viva de que esse sonho não é impossível.

Aos dezessete, dezoito anos, iniciei uma busca pelo alto rendimento e percebi que talvez as oportunidades em meu estado fossem limitadas. Contudo, comecei a me destacar em competições de nível nacional e, graças a isso, recebi um convite para me mudar para São Paulo, onde havia mais recursos. Minha família impôs apenas uma condição: eu deveria continuar meus estudos, e assim eu fiz, cursando Educação Física.

Desde o início da minha jornada na Seleção Brasileira, minha família tem sido meu maior apoio. Meu avô, meu herói e maior anjo, a pessoa que despertou meu interesse pelo esporte, permaneceu como meu fiel apoiador até seu falecimento. Ao longo da minha trajetória, encontrei muitas pessoas incríveis, verdadeiros

No esporte, aprendi a conviver com pessoas diversas em um grupo unido por um objetivo comum. O respeito é fundamental, e a sincronicidade é essencial para as vitórias.

Ser uma referência para outras pessoas é algo lindo, e saber que posso ser uma influência positiva na vida de alguém reforça que estou e estive no caminho certo.

Acredito que o esporte tem o poder de promover transformação e disciplina, moldando nossa convivência social. O Brasil pode mudar histórias por meio do esporte, oferecendo oportunidades e novos ideais para crianças e jovens.

Devemos incentivar mais esportes em mais lugares e oferecer uma diversidade de opções para que todos possam experimentar e encontrar uma modalidade pela qual se apaixonem, que traga uma sensação de pertencimento. O esporte é mais do que competição; é um veículo para o crescimento, a união e a transformação.

O esporte muda e norteia novos horizontes e pode ser a chave para um futuro mais brilhante para nossa população.

HÉLIA DE SOUZA ("FOFÃO"), foi atleta de voleibol (levantadora) da Seleção Brasileira de 1991 a 2008, tendo disputado 340 partidas e estado presente em 5 Jogos Olímpicos consecutivos. Medalhista de ouro em Pequim 2008 e bronze em Atlanta 1996 e Sydney 2000. É a atleta mais vitoriosa da história do voleibol brasileiro e se tornou a primeira mulher a treinar a Seleção Brasileira, na categoria sub-17. Fofão está no Hall da Fama do Vôlei.

ras e obstáculos, eu nunca deixei de acreditar. Ver meus pais se esforçando para me apoiar era o meu combustível, e eu sempre encarava o treinamento como algo prazeroso, não uma obrigação. Esse gosto pelo esporte me impedia de desistir.

Com o tempo, a ideia de que esse era realmente o meu propósito de vida se fortalecia. Minha concentração era inabalável, e eu buscava constantemente evoluir e me destacar, mantendo a autenticidade. Nunca tentei ser igual a ninguém, apenas a melhor versão de mim mesma.

Os valores mais marcantes que desenvolvi foram a liderança e a disciplina, que se tornaram fundamentais em minha vida dentro e fora de quadra. E eu aprendi que o vôlei, sendo um esporte coletivo, exige que essas qualidades sejam imprescindíveis.

Deixar minha família e criar uma nova família com meus colegas de equipe foi um desafio, mas todas as renúncias que fiz ao longo do caminho fizeram sentido. O foco era a minha prioridade, e todas as escolhas foram bem resolvidas e seguras.

O equilíbrio entre estudo, alimentação regrada e dedicação ao esporte não foi fácil, mas entendi que os "nãos" e as abdicações tinham propósitos e não deveriam ser impedimentos. Quando questionam minhas vivências nos ciclos olímpicos, algo que todos devem saber é que a preparação é uma jornada de longo prazo e uma construção constante a cada desafio enfrentado.

Lembrar das Olimpíadas é como reviver uma experiência única, pois ver atletas de todo o mundo defendendo suas modalidades é inspirador. E ter a oportunidade de conhecer ídolos como Carl Lewis e Kobe Bryant torna a experiência ainda mais especial.

Receber uma medalha olímpica é indescritível. É uma honra levar algo não apenas para mim, mas para o meu país. Uma sensação mágica que enche o coração de gratidão.

MINHA JORNADA NO VOLEIBOL

Hélia de Souza (Fofão)

Minha jornada como atleta começou na infância, quando eu sabia que queria ser uma esportista, mas ainda não tinha escolhido qual esporte queria praticar. A paixão e a motivação estavam lá desde o início, mesmo que o alto rendimento ainda não fosse uma ideia clara. Às vezes as pessoas ao meu redor viam o meu talento e ofereciam patrocínio e ajuda, e isso gradualmente foi dando forma ao meu sonho.

Quando dei os primeiros passos nesse caminho, eu não tinha a menor ideia de para onde isso me levaria. No entanto, à medida que avançava, comecei a perceber minha própria capacidade. A visão de uma carreira no esporte se tornou realidade, e comecei a traçar o roteiro: clubes, Seleção Brasileira, tudo fazia parte desse plano. A dedicação aos treinos se tornou minha estratégia para evoluir técnica e taticamente, transformando meu desejo e sonho em realidade.

Mesmo sem grandes recursos, minha família me apoiava incondicionalmente. Eles nunca me pressionaram, só queriam que eu fosse feliz e realizada. No meio desse caminho, encontrei pessoas fundamentais, como o Coronel Mauricio Cardoso, do Centro Olímpico, que proporcionou uma estrutura segura para eu dar início à minha jornada.

A crença inabalável em mim mesma foi um dos principais fatores do meu sucesso. Mesmo diante de dificuldades financei-

Minha trajetória é um testemunho de como a perseverança e a determinação podem superar desafios incríveis. Em um país com uma monocultura esportiva, a vela me ensinou a nunca desistir dos meus sonhos, independentemente das adversidades que surgiram pelo caminho.

LARS SCHMIDT GRAEL esteve em quatro Jogos Olímpicos e foi medalhista de vela na classe Tornado, bronze em Seul 1988 e Atlanta 1996. Decacampeão brasileiro, penta campeão sul-americano e campeão mundial da Classe Star. Foi secretário nacional de Esportes no governo Fernando Henrique Cardoso e secretário estadual de Esporte e Lazer do Governo do Estado de São Paulo. Fundador do Projeto Grael – Instituto Rumo Náutico, em Niterói (RJ).

A perseverança foi o valor mais fundamental que aprendi ao longo da jornada. Enfrentei inúmeras situações desafiadoras por falta de apoio, descrédito e burocracia envolvida, por exemplo, na tentativa de exportar um barco de competição para representar o Brasil. Em diversas situações senti um profundo desânimo, mas o que me manteve firme foi a capacidade de acreditar.

Sobre os momentos em que pensei em desistir, prefiro me considerar perseverante em vez de teimoso. Não foi fácil; tive que enfrentar desafios e derrotas, como a dura realidade de chegarmos com favoritismo às Olimpíadas de Barcelona em 1992 e sofrermos um golpe. Isso nos obrigou a reavaliar nossa abordagem para o próximo ciclo olímpico e, como resultado, nos tornamos os primeiros no mundo em medalhas de vela nas Olimpíadas de Atlanta em 1996.

A vela se tornou um legado de família, mas a busca por títulos mundiais e olímpicos começou de forma precoce. Mesmo quando eu era adolescente, meu pai tinha expectativas de que eu seguisse a carreira militar. No entanto, minha paixão pela vela me levou a renunciar às provas do colégio militar para buscar um caminho no esporte. Em certo momento também considerei a carreira de geólogo, por meu interesse na área da mineralogia.

No entanto, a vela continuava a bater à minha porta, e as oportunidades surgiam a cada virada do vento. Isso me levou a renunciar a uma educação mais elevada e também a abdicar de tempo com a família, especialmente em relação ao acompanhamento mais próximo do desenvolvimento dos meus filhos. Minha vida foi repleta de renúncias em prol do esporte.

Acredito que, para qualquer pessoa, seja criança, seja adulto ou idoso, seguir uma carreira no esporte de alto rendimento requer amor, dedicação, entrega e a determinação de nunca desistir dos seus sonhos.

em 1996 e com outros velejadores. Após meu acidente, tive a honra de conquistar o título mundial da classe Star no Mundial em 2015, velejando com um ex-aluno, Samuel Gonçalves, do Projeto Grael.

O Projeto Grael tem como objetivo promover a cultura da maritimidade e ampliar o acesso aos esportes náuticos como instrumento de educação, estímulo à profissionalização, construção da cidadania e inclusão social.

Persistir em uma modalidade olímpica em um país marcado pela monocultura esportiva do futebol é um desafio inigualável. A vela, com seu estigma de ser um esporte elitista, colocou em minha trajetória desafios únicos. Meu pai, que era um simples oficial do Exército brasileiro, inicialmente esperava que eu seguisse a carreira militar, mas a paixão pela vela falou mais alto. No entanto, as referências que tive, como meus tios e outros atletas olímpicos que desafiaram as probabilidades, como João do Pulo, Adhemar Ferreira da Silva e Nelson Prudêncio, me fizeram acreditar que também poderia conquistar meus objetivos.

Minha confiança como atleta começou a se solidificar após a conquista da medalha com Clinio nos Jogos de Seul em 1988, competindo na classe Tornado. Antes disso, eu já havia alcançado resultados significativos em competições nacionais e sul-americanas, inclusive sendo campeão da classe Snipe com meu irmão Torben.

Na minha primeira Olimpíada, em Los Angeles, tive a oportunidade de desbancar os campeões olímpicos da época nas eliminatórias, o que foi um feito marcante. No entanto, a verdadeira confiança veio com a conquista inesperada da medalha em Seul. Isso aconteceu porque o apoio que tínhamos era muito diferente daquele dos países onde o esporte é parte da cultura, já que eles contavam com bases avançadas. Essa medalha representou um ponto de virada em minha carreira.

NAVEGAR É PRECISO

Lars Grael

A influência que moldou meu amor pela vela veio de figuras notáveis, como meu avô dinamarquês e meus tios velejadores, Axel e Eric Schmidt. Eles não apenas se destacaram como velejadores internacionais, conquistando títulos e medalhas olímpicas, mas também foram uma constante fonte de inspiração para mim. Essas referências sólidas e os valores que transmitiram me motivaram a seguir seus passos.

Desde o início da minha trajetória, encontrei inúmeros apoiadores que desempenharam um papel fundamental em minha jornada. O primeiro apoio veio de minha própria família, meus tios e as pessoas do Carioca Iate Club, onde dei minhas primeiras remadas há 51 anos. Nossa mudança para Brasília também não diminuiu a rede de apoio, pois continuei a participar ativamente do iate clube local. Esses apoiadores estiveram ao meu lado em um momento em que o esporte da vela ainda era visto como uma utopia em minha vida.

Em 1984, recebi um patrocínio vital de Antônio Carlos Almeida Braga, por meio da Bradesco Atlântica, após os Jogos Olímpicos de Los Angeles. Além dessas parcerias, é importante destacar que tive inúmeros outros apoios substanciais ao longo da minha trajetória. Ademais, não posso deixar de mencionar meus parceiros de vela, desde minha parceria com meu irmão Torben até meu amigo e irmão Clinio de Freitas nos Jogos de Seul em 1988 e de Barcelona em 1992. Posteriormente, minha colaboração com Kiko Pelicano

Comecei a controlar um pouco os exageros dos meus expedientes artísticos quando, um lindo dia, me surpreendi em plena calmaria, como um doido, imitando a banda de Paraty. A bandinha que nas festas religiosas da cidade, Festa do Divino, Festa de São Benedito, toca sempre a mesma música. Fazendo todos os instrumentos, a cabeça sacudindo, os cabelos voando, os remos batendo na água no ritmo da marchinha, e de repente, um tapa no costado.

Um enorme tubarão lentamente se esfregava no casco, com a galha para fora da água, e com sua cauda, a cada passada, dava um tapa na proa. Não senti medo. Pelo contrário, encarando o seu olhar frio e infinito, não vi naquele animal um inimigo, mas um sócio. Na realidade, ele não estava me ameaçando, eu não o interessava e ele não me atraía.

Estava distante ainda, mas a cada segundo mais compenetrado em não errar, em decidir com calma e segurança. Não. Não bastaria chegar pura e simplesmente. Eu queria aportar num ponto preciso, e soltar minha âncora num portinho abrigado onde houvesse outros barcos descansando. Pensando nisso, não parava de remar. Não conseguia parar. Não tinha forças para isso, os minutos consumiam as horas. Cada vez mais perto.

Os contornos da costa tornavam-se nítidos. Remando e olhando. Remando e olhando..."

AMYR KLINK é navegante, escritor e palestrante. Seu primeiro livro, *Cem dias entre o céu e o mar*, narra sua jornada remando da África, saindo de Luderitz até a cidade de Salvador no Brasil e foi realizada em 1984, 40 anos atrás.

REMANDO ENTRE O CÉU E O MAR[2]

Amyr Klink

"Se estava com medo? Mais que a espuma das ondas, estava branco, completamente branco de medo. Mas, ao me encontrar afinal só, só e independente, senti uma súbita calma. Era preciso começar a trabalhar rápido, deixar a África para trás, e era exatamente o que estava fazendo. Era preciso vencer o medo, e o grande medo, meu maior medo na viagem, eu venci ali, naquele mesmo instante, em meio à desordem dos elementos e a bagunça daquela situação. Era o medo de nunca partir. Sem dúvida, este foi o maior risco que corri: não partir.

Desde garoto, me perguntava qual seria o melhor dia da vida, sem nunca ter encontrado resposta. Sempre havia um novo dia para me confundir. Durante a conturbada preparação da viagem, por mais de dois anos, cheguei à conclusão de que o meu melhor dia seria aquele, em que, finalmente livre de problemas e dos céticos, colocaria o barquinho na água em direção ao Brasil.

Navegar, eu entendo, é a arte da precisão, e viver, é antes de mais nada, fundamental. O navegador não vaga a esmo, mas se prende a tudo que é possível, para tornar preciso o seu caminho. A exata posição dos astros no universo, no preciso segundo de cada minuto, em cada hora, o vento, o sol.

---

[2] Texto publicado originalmente no livro *Cem dias entre o céu e o mar*.

com a água, com o ambiente e o prazer de remar proporcionam quase uma meditação.

Esquecemos da rotina diária e submergimos num mundo calmo, tranquilo e harmonioso, um ambiente lúdico. Nos encontramos com a vida no convívio com outras pessoas, pelo acolhimento e pelo ambiente saudável desse lugar aprazível e tranquilo.

A Raia Olímpica possibilita um estado de saúde e de qualidade de vida pleno e leve, como a vida deve ser vivida.

JOSÉ CARLOS SIMON FARAH é professor de Educação Física graduado pela Universidade de São Paulo (USP), com especialização em Fisiologia do Exercício. Foi atleta remador, quinze vezes campeão paulista, duas vezes campeão brasileiro, vice-campeão sul-americano e campeão mundial master. Foi professor da Escola de Educação Física e Esporte da USP e diretor técnico do Centro de Práticas Esportivas da USP (CEPEUSP). Atualmente coordena as atividades esportivas da Raia Olímpica da USP e é Diretor Geral do CEPEUSP.

dos esportes remo e canoagem do estado de São Paulo e sediou campeonatos nacionais e internacionais, como o Campeonato Sul-Americano, seletivas para Jogos Pan-Americanos e Regata Internacional de Master. Sediou também a famosa disputa entre as universidades de Cambridge e Oxford, entre outras.

O CEPEUSP promove vários cursos de remo e canoagem, tanto para o público interno (comunidade USP) como para o externo.

Atualmente, o CEPEUSP mantém convênio com quatro grandes clubes do Brasil, sediados em São Paulo, que treinam na Raia Olímpica: Clube Athletico Paulistano, Esporte Clube Pinheiros, Sport Club Corinthians Paulista e Clube de Regatas Bandeirante.

O Instituto Remo Meu Rumo também realiza suas atividades sociais-esportivas na Raia, além do próprio CEPEUSP.

A Raia Olímpica é o local de seletivas do remo e do para-remo do Brasil. Também foi o local de aclimatação pré-Jogos Olímpicos de 2016, para que países como China, Rússia e França treinassem nas semanas que precederam a abertura das Olimpíadas do Rio de Janeiro.

Além de oferecer um espaço tecnicamente ideal para a prática do remo e da canoagem, a Raia Olímpica fica em um local privilegiado de São Paulo.

Com espelho d'água de 2200 metros de extensão e 100 metros de largura, suas águas são limpas e não têm contato com as águas do rio Pinheiros nem com a dos córregos Pirajuçara e Politécnica. A fauna e a flora são diversificadas. Quem adentra suas dependências tem a impressão de que o tempo mudou. O ambiente é calmo, a paisagem é bonita e transmite a sensação de que estamos no interior.

Mas o que se destaca principalmente é o salto na qualidade de vida das pessoas que lá se encontram para remar. A relação

A RAIA OLÍMPICA DA USP

José Carlos Simon Farah

No início da década de 1970, os rios Tietê e Pinheiros, por sua poluição, não ofereciam mais condições para a prática do esporte remo. Esse fato levou à procura por outros lugares adequados para a prática, o que não era uma tarefa muito fácil considerando as condições técnicas necessárias, como disponibilizar um espelho d'água de 2.200 metros de extensão e 100 metros de largura (medidas mínimas), além de construções que abrigassem os barcos. Havia a possibilidade que a prática do remo fosse transferida para as represas Billings e Guarapiranga, o que se tornou inviável, pelas condições de vento muito intenso e também pela distância, pois ficava muito longe das sedes dos clubes.

Nessa mesma época, alguns institutos da Universidade de São Paulo estavam em construção. O local que hoje é a Raia Olímpica era a várzea do rio Pinheiros. Alguns lagos que se formaram pelas cheias viraram um porto de areia, onde, dada a profundidade, brotou água vinda do lençol freático que alimenta o rio Pinheiros. E então surgiu a ideia de construir a Raia Olímpica, juntando os lagos formados pelas cheias e a água que brotava do solo.

Fundada em 1972, a Raia Olímpica foi inaugurada e é administrada pelo Centro de Práticas Esportivas da USP (CEPEUSP) e o torna o maior Centro Esportivo da América Latina. Para a regata de inauguração foram convidadas universidades dos Estados Unidos e a Federação Universitária Paulista de Esportes (Fupe), além de clubes do Brasil. Esse é o principal polo de desenvolvimento *de amor.* Dentre eles estão: Bonno Van Belen, Wolfgang Zorn, José Afonso Filho, Candido Leonelli, Paulo Hilário Nascimento Saldiva e Wilson Jacob Filho.

> **RICARDO LINARES PEREIRA** é professor de Educação Física da Universidade de São Paulo (USP), mestre pela USP, bandeira do remo paulista por mais de 40 anos. Ministra aulas de remo e atividades físicas para pessoas de terceira idade no Centro de Práticas Esportivas da USP (CEPEUSP) e é fundador da ONG Remar, na cidade de Santos.

pilastras da estrada de ferro. Eu, que já estava um pouco mais seguro, olhei para trás, alinhei o barco no centro do vão entre uma pilastra e outra e, com a ajuda da correnteza, consegui passar com mais tranquilidade.

Seguindo em frente à ponte das Bandeiras, alinhei o barco mais no centro do rio e passei com certa facilidade. Segui até a confluência do rio Tamanduateí com o rio Tietê, para fazer a nova manobra de retorno e voltar, mas não me recordo de ter tido muita dificuldade de fazer a manobra de retorno, imagino que talvez pelo fato de o rio ser mais largo nesse local, ou talvez por já estar um pouco mais seguro no manejo do barco. Remei rio acima até chegar ao pontão de embarque e desembarque. Para minha surpresa, consegui até mesmo atracar o barco com certa tranquilidade, e com a ajuda de quem? Do meu primeiro professor de remo, o inesquecível Sr. Joaquim Martins, a quem fiz questão de homenagear já na condição de técnico de remo do C. R. Tietê, dedicando a ele o resultado do Campeonato Estadual de 1978. Fui buscá-lo em sua casa para que ele pudesse assistir à regata, na qual, de sete provas, conseguimos obter seis primeiros lugares e um segundo.

E um detalhe: ele compareceu de terno, gravata e usando seu tradicional chapéu Ramenzoni. Foi um momento emocionante.

Muito obrigado, Joaquim.

Sou muito agradecido a você até hoje.

Mais adiante, relatarei um pouco mais da minha história no remo com os ensinamentos dos técnicos e professores Ramiro, Heneas, José Martins Diogo, Lauro Freire (Dedão), Ariovaldo Bonjorno, Antonio Boaventura da Silva, Arlindo Donato, Miguel Morales, Hercules dos Santos e Antonio Gomes Martins, e muitos outros personagens que vou citar no livro *Remo, uma história* tranquilidade, porque a ponte era formada por um vão único, não tinha estacas para suportá-la no meio do rio de que eu precisasse desviar, e lá fui eu rio acima.

Uns 300 metros adiante, um novo desafio, este um pouco mais difícil: passar entre as pilastras de sustentação da ponte da antiga estrada de ferro da Cantareira, que ficavam fixadas no meio do rio. Mais uma vez, passei com todo o cuidado para não bater nas pilastras e vencer mais esse obstáculo.

Olha de um lado, olha de outro, alinha o barco, dá uma remada mais forte, ufa, mais um obstáculo vencido, e assim segui em frente até o clube da Portuguesa de Desportos, onde havia uma pinguela, ou seja, uma ponte de madeira sustentada por tambores de metal para flutuar. Ela era usada pela população para atravessar o rio de um lado para o outro, e no meio tinha um vão mais largo para passagem dos barcos de manutenção do rio e dos barcos a remo. Só que esse vão era bem estreito e exigia bastante habilidade e precisão no manejo do barco, por isso resolvi não arriscar e retornar.

Começava agora outro desafio emocionante: manobrar o barco para voltar. Tive que me lembrar dos ensinamentos do Sr. Joaquim, "para fazer a manobra para retornar, fixe um remo direito na posição vertical e reme com o esquerdo", mas na prática a teoria é outra, principalmente quando o professor não está por perto e a emoção fala mais alto. Pela minha memória e pelo posicionamento em que me recordo que ficou o barco, atravessado no meio do rio, devo ter feito tudo ao contrário. Lembro que a ré, ou a popa do barco, quase encostava na margem direita. Então fui me ajeitando para a frente e para trás até conseguir colocá-lo na posição e retornar.

E lá fui eu, agora com a ajuda da correnteza a me impulsionar. E ali reapareceu uma tarefa que me preocupava: passar entre as observando o movimento dos barcos e sua saída e chegada, quando encostou um senhor com um canoe, barco individual, típico de iniciação, mas que exigia que se remasse simultaneamente com um remo de cada lado, o que eu nunca tinha feito.

Nesse momento, o Sr. Joaquim me chamou. Fui até ele, pensando que ele queria que eu o ajudasse a levar o barco para o barracão, quando, para minha surpresa, ele me disse: "Ricardo, você sabe nadar?". Respondi afirmativamente. "Então suba aqui nesse barco". Eu fiquei preocupado: "Como vou fazer isso, seu Joaquim? Nunca remei com dois remos ao mesmo tempo". Ele então explicou: "Faça assim: segure os dois remos com a mão direita, pise com o pé direito nessa tábua entre os trilhos, o pé esquerdo coloque no firma-pés e sente. Ajuste as correias de fixação dos pés e agora segure um remo em cada mão. Coloque o polegar na ponta". Depois que eu tinha feito tudo isso, ele me disse: "Vá por esta margem e volte pela outra. Se vier barco na sua direção e correr o risco de bater, grite 'proa'. Para virar o barco na hora de retornar, fixe o remo direito na água e reme só com o esquerdo".

Então ele foi me afastando do pontão, empurrando o barco pelo remo para o meio do rio, e me orientando: "Reme um pouco com o remo esquerdo. Agora com o direito. Isso. Alinhe o barco. Agora siga com os dois juntos. Isso. Vá em frente".

E lá fui eu conduzindo o barco, meio apavorado, meio deslumbrado com a nova aventura, tentando me equilibrar e remar ao mesmo tempo.

A uns 200 metros adiante tinha outro desafio: passar embaixo da ponte das Bandeiras. Remei com o maior cuidado para não bater nas margens e nos batelões, os barcos que transportavam a areia retirada do rio pelas dragas para ser utilizada na construção civil ou em aterros. Esse desafio foi vencido com certa

Por volta dos doze para os treze anos, comecei a me interessar pelo movimento de saída e entrada dos barcos no pátio em frente ao barracão do remo. A partir daí, passei a acompanhar a saída deles e dos remadores até o rio e ali ficava um bom tempo, apreciando o movimento dos barcos na água.

Um belo dia, tomei coragem e fui me informar sobre a possibilidade de aprender a remar.

Eu, todo franzino e tímido, com no máximo um e sessenta de altura e pesando em torno de 40 quilos, me aproximei de um senhor que cuidava do local e perguntei se podia remar e o que eu tinha que fazer para me inscrever, caso fosse possível.

Ele me atendeu muito bem. Supersolícito, foi logo perguntando: "Você tem um tempo agora?". Respondi que sim, e ele então me disse: "Venha cá. Pegue este remo de barco-escola feminino, que é menor, mais leve e mais adequado para você. Pegue também esta bancada, o carrinho e o firma-pé e vamos até o barco-escola no rio". Lá chegando, me ensinou a instalar os equipamentos e a fazer o movimento de remar.

Foi um dia em que me senti muito feliz e alegre. Essa atividade passou a fazer parte dos meus fins de semana por quase um ano, sempre incentivado pelo Sr. Joaquim Martins, que foi quem me atendeu pela primeira vez e que me dizia: "Você precisa vir cedo durante a semana para patroar (timonear) os barcos". Ele se referia à prática de conduzir a guarnição e controlar o leme, direcionando o barco. Mas eu morava longe, na Lapa, e estudava de manhã — ainda cursava o ginásio. Não daria para ir cedo até o clube e chegar à escola a tempo. Assim, continuei treinando no barco-escola nos fins de semana, ora remando um pouco do lado direito (bombordo), ora do lado esquerdo (boreste).

Num domingo, estava eu lá, remando no barco-escola, que era contíguo ao pontão de embarque e desembarque fixo a ele,

REMO, UMA HISTÓRIA DE AMOR À PRIMEIRA VISTA

Ricardo Linares Pereira

Tudo começou por volta de 1958, quando meus pais matricularam a mim e a Vilma, minha irmã, como sócios do Clube de Regatas Tietê.

Nos finais de semana, nossos pais, Francisco e Mercedes, nos levavam até o clube para participarmos das aulas de natação e das atividades de recreação oferecidas.

Por volta do meio-dia retornávamos para casa, no bairro da Lapa, ou íamos para a casa da nossa avó materna, Mercedes, no bairro da Ponte Pequena, próximo ao clube, onde passávamos o final de semana para no domingo podermos desfrutar das atividades no C. R. Tietê, acompanhados da nossa tia Miriam e também conviver com os primos Osvaldo, Otávio, Márcio, Cláudio e Conceição. Nosso tio Manolo, pai dos três últimos primos citados, também frequentava o clube. Ele era um exímio tenista e vez por outra nos monitorava. No fim das atividades nos presenteava com as deliciosas esfihas do bar do Abraão; tia Miriam compartilhava desses momentos conosco.

Era tudo muito divertido e alegre.

Conforme fomos crescendo, passamos a não depender mais dos nossos pais para irmos até o clube.

Registro do Dr. Adib Jatene na Federação do Remo de São Paulo. / Arquivo histórico Esperia.

FERNANDO RAZZO GALUPPO, jornalista e historiador da Sociedade Esportiva Palmeiras, é autor dos livros *Palmeiras Campeão do Mundo 1951, Alma Palestrina, Meu time do coração, Morre líder, nasce campeão!, Glórias de um moleque travesso* e *Parque dos sonhos*.

Arquivo histórico Esperia. / André Bertin.

Em pé: Ricardo Bodra; Timoneiro Marcos Putelo; Dedão, nosso técnico; Alexis (medicina USP); Álvaro (medicina USP); Emmanuel Burdman. Agachados: Antonio C. Cardoso, Candido Leonelli, Wilson Jacob Filho, Paulo Saldiva (Pepino).

Arquivo histórico Esperia. / André Bertin.

Remador Candido Leoneli e seu treinador Diogo.
Foto: Arquivo Histórico C. R. Tietê.

O Pirralho

SPORT

Club Esperia. Conforme noticiámos, realisou-se nos dias 31 de Dezembro e 1.o do corrente mez, o festival promovido pelo Club Esperia, com o concurso da Associação Athletica S. Paulo, A. A. A. B. C., Palestra Italia e Tiradentes Foot-Boll Club.

Apezar desses dois dias terem passado *aborrecidos*, pois de vez em quando cahia uma impertinente chuva que obrigava os assistentes a procurarem refugios, perdendo assim, por diversas vezes, occasiões de se *torcerem* na chegada de seus *favoritos*, não deixou aquella festa de correr muito animada, tendo se reunido na séde do Esperia, grande e selecta assistencia.

As diversas provas do bem organisado programma, foram cumpridas a risco, proporcionando fartos applausos dos assistentes.

Cumpre-nos, pois, apresentar ao sympathico Club Esperia e ás sociedades que tomaram parte no festival os nossos parabens.

O resultado geral foi o seguinte:
1.o Pareo — A's 14 horas:
Vencedora - "Climene" - Esperia
— Voga, Guido Guidi; Sotavoga, Udilio Cecchini; Sotaproa, Ippolito Fanucchi; Proa, Mario Giorgi; Patrão, Alberto Perrini.
2.o Pareo — A's 14 e 15.
Vencedora — "Noemy" — S. Paulo.
Canoa: — Noemy — N. 1 — Voga, José Talante; Proa, Paschoal Ciccone; Patrão, Renato Erhart.
3.a Pareo — A's 14 e 30.
Vencedora — "Bechara" — S. Paulo.
Canoé Bechara — N. 1 — Remador, Frederico Bourgdorf.
4.o Pareo — A's 14 e 45.
Vencedor "Guarany" S. Paulo.
Yole: Guarany — N. 1 — Voga, João Marchese; Sotavoga, Rodolpho B. Maerz; Sotaproa, Heitor Sanchez; Proa, Henrique Saulle e Patrão, Laerte Marone.
5.o Pareo — A's 15 horas.
Vencedor "Bechara" — S. Paulo.
Ass. Athl. S. Paulo — Canoé: Bechara N. 1 — Remador, Francisco Paolillo.
6.o Pareo — A's 15 e 15.

Ass. Athl. S. Paulo — Canoa: Nair — N. 1 — Voga, Angelo Bernardelli; Sotavoga, Virgilio Lion; Sotaproa, João Norberto Longo; Proa, Nicolau Felizzola e Patrão, Raul Macedo de Carvalho.
Club Esperia — Canoa: Perseo — N. 2 — Voga, Antonio Poli; Sotavoga, Steffano Stratta; Sotaproa, Ettore Conti; Proa, Rodolpho Conti e Patrão, Enrico Conti.
Desclassificada, a canoa "Nair".
7.o Pareo — A's 15 e 35.
Vencedor "Perseo" — Esperia.
Club Esperia — Canoa: Perseo - N. 2 — Voga, Mario Ghilardi; Sotavoga, Giulio Pansoneti; Sotaproa, Samuele Sala; Proa, Alfredo Malagó e Patrão, Giovanni Sala.
8.o Pareo — A's 15 e 50.
Vencedor — "Barão de Tatuhy" — S. Paulo.
Associação Athletica São Paulo — Yole: "Barão de Tatuhy" n. 1 — Voga, Seraphim Orlandi; Proa, Raul Macedo de Carvalho; Patrão, Renato Erhart.
9.o Pareo — A's 16,05.
Vencedor "Spica" — Esperia.
Club Esperia — Yole; "Spica" n. 2 — Voga, Narciso Chicca; Sotavoga, Italo de Stefani; Setaproa, Delfo Betti; Proa, Omero Girelli; Patrão, Alberto Perrini.
10 Pareo — A's 16 e 25.
Vencedor "Bechara" — S. Paulo.
Associação Athletica S. Paulo — Canoé: "Bechara" n. 1 — Remador, J. A. de Toledo Filho.
11.o Pareo — A's 16, 35.
Vencedor "Perseo" — Esperia.
Club Esperia — Canoa: "Perseo" n. 1 — Voga, Giovanna Favali; Sotavoga, Emilia Villa; Sotaproa, Ida Vitali; Proa, Esther Vitali; Patrão, Alberto Perrini.
12.o Pareo — A's 17.
Vencedora "Yolanda" — Esperia.
Club Esperia — Canoa "Yelanda" n. 2 — Voga, Ettore Conti; Proa, Rodolpho Conti; Patrão, Enrico Conti.
13.o Pareo — A's 17,15.
Vencedor "Barão de Tatuhy" — S. Paulo.
Associação Athletica S. Paulo — Yole: "Barão de Tatuhy" n. 1 — Voga, Seraphim Orlandi; Proa, Raul Macedo

Os Bonbons da CASA *"NIERMEIER"*
SÃO OS MELHORES
Rua Riachuelo, 24   Telephone 5098

de Carvalho; Patrão, Renato Erhart.
14.o Pareo — A's 17, 30 — Natação;
A. A. S. Paulo (bonnet preto): Max Erhart, Renato Erhart, Rodolpho Maerz, Durval Aguiar e Souza, J. A. Toledo Filho e Evaristo de Oliveira Arantes.
Club Esperia: — Angelino Barsotti, Giovanni Nori, Mario Ghilardi, Michele Bertour, Alessandro Conti, Giovanni Faccioli e Tomaso Morera.
Vencedores: Em 1.o, Max Erhart, em 2.o Mario Ghilardi e em 3.o Angelino Barsotti.

Os jogadores Uruguayos

Depois de conquistarem brilhantemente uma serie de victorias na capital da Republica, acabam de chegar a esta cidade os valentes footballers uruguayos, que aqui vêm medir forças com as elevens da Associação Paulista.

Como todas as provas internacionaes, estes encontros estão despertando grande interesse nas rodas sportivas e esse interesse muito augmentou pelo motivo de, justamente no encontro, havido no Rio, em que tomaram parte jogadores paulistas, ter havido o empate de 0+0.

O segundo "match" internacional, será amanhã, com um "scratch" da Associação Paulista de Sports Athleticos.

Pela animação que se nota entre os amantes deste sport, queremos crer que o ground da Associação não será sufficiente para comportar a concorrencia dos *torcedores*.

Na reunião da Commissão de Football da A. P. S. A, havida no dia 9 do corrente, ficou organisado o seguinte «scratch» que deve enfrentar o combinado Uruguayo :
Casemiro
Orlando — Carlito
Italo — Rubens — Lagreca
Formiga — Nazareth — Friedenreich — Mac Lenn — Hopkins
Reservas: Dionisio — Ferreira — Bianco — Zechi e Bororó.

LABANCA & C.

OFFERECEM ENORMES VANTAGENS NA VENDA DE BILHETES DE LOTERIAS, NAS CASAS

UNIÃO SPORTIVA

SÃO PAULO E RIO

Rua do Commercio, 38-A

Rua 15 de Novembro, 17-A

Hoje, no século XXI, essas e outras reminiscências parecem nunca terem existido, dados "a evolução e o progresso". O rio se retificou e tornou-se impraticável pela desenfreada poluição. A maioria dos clubes introdutores da modalidade não mais existe ou se mantém inativa ou com atividade parcial e limitada. Os meios de comunicação ignoram competições, e há parcos registros sobre os atletas. O estímulo se limita a abnegados e idealistas.

Nesse contexto atual, o Instituto Remo Meu Rumo rema contra a maré, mantendo a chama sempre viva e acesa, sem jamais esmorecer. Baseado em valores sólidos como amor ao próximo, inserção social, transparência, respeito à diversidade, perseverança e busca da excelência, segue a sua missão com competência e obstinação.

Esta obra que se materializa visa, sobretudo, preservar uma das páginas mais bonitas do esporte por entre gerações. Que os ventos soprem a favor e que haja cada vez mais braços para empurrar essa embarcação *sempre avanti*. Longa vida ao remo!

Muito antes de o futebol ser introduzido entre os paulistas como um pertencimento popular, os primeiros ídolos do esporte na capital foram forjados nas embarcações e à beira do rio. Físico perfeito, serenidade, constância e inteligência eram alguns sinônimos atribuídos ao praticante do remo. Os remadores eram arquétipos para a juventude local. Todos queriam remar.

O italiano Marcellino Marcello despontava como um dos primeiros ídolos da mocidade. Um exemplo de espírito esportivo, cordialidade e virilidade. Delfo Betti, campeão paulista de remo em 1912, junto com seu parceiro Italo De Stefani, formou a dupla mais famosa do remo paulista, vencedora de inúmeras regatas municipais, estaduais, nacionais e internacionais. Eles rivalizaram com os irmãos Castelo Branco, no início dos tempos, pelo gosto popular.

Atraíam verdadeiras multidões os encontros em que remadores do Esperia, Tietê, Associação Atlética São Paulo, Saldanha da Gama, Santista, Tamoio e Internacional se reuniam nas margens do Tietê, Valongo, Guanabara ou Prata, pontos de encontro tradicional do remo paulista daquela época.

Lodovico Bacchiani, Fernando Maggi, Octavio Giovine, Salvatore Pastore, Armando Mugnaini e Alfredo Perillier conquistaram a primeira vitória interestadual do remo paulista em 1905. Diz a oralidade que faltou vinho na cidade para o tamanho da recepção e dos festejos por esse grande triunfo.

Nesse período, também se registra uma saborosa tradição, dada a rixa entre esperiotas e tieteanos. Os remadores do Clube de Regatas Tietê celebravam suas vitórias com tiros de festim oriundos de um canhão que se situava estrategicamente apontado para a sede do Esperia, no outro lado da margem do rio Tietê. Uma saudável provocação que por vezes resultava numa vidraça estilhaçada nas dependências do clube dos italianos.

REMO, FATOR DE UNIÃO E FRATERNIDADE EM TORNO DO ESPORTE

Fernando Razzo Galuppo

No final do século XIX a cidade de São Paulo recebeu um grande fluxo migratório, principalmente, entre outros povos, do elemento italiano, que atravessou o oceano em busca de maior qualidade de vida, em razão das turbulências políticas e sociais vividas em seu país de origem.

Em solo paulistano, hábitos, costumes e tradições foram trazidos por essa comunidade. Entre eles, o gosto pelas práticas desportivas, como uma forma de diminuir a saudade de sua terra natal e aplacar a dureza de uma província que se forjava e crescia com muito suor e labor.

Em 1º de novembro de 1899, os imigrantes italianos Enrico Gallina, Pietro Lazzaroni, Luigi Torre, Emilio Tallone, Angelo Quarante, Fulvio Costanzo e Ercole Ervene fundaram a Società Italiana de Canottieri, dedicada à prática do remo e esportes aquáticos, nas margens do rio Tietê, Zona Norte da cidade, que mais tarde recebeu o nome de Clube Esperia, nome esse que ostenta até os dias atuais.

Foi esse o principal espaço de agregação da comunidade italiana dedicado ao segmento esportivo na Pauliceia, nos primeiros tempos, de que se tem registro.

jornada de trabalho tivesse continuidade com a disposição e o entusiasmo que só uma boa remada pode proporcionar."

27 de junho de 2007

CANDIDO (CAETANO) LEONELLI é italiano de Viareggio, engenheiro, ex-executivo e médico. Rema todos os dias desde 1968 (iniciou pelo Clube de Regatas Tietê), com inúmeros títulos paulistas, nacionais e internacionais, e é dedicado pai e avô.

me pareceu um presente, do tipo: o universo conspirou para fazer acontecer!!! A Raia Olímpica da USP só para mim.

Durante um treino preguiçoso entre chuvas e estiagens, de 12 quilômetros, pude aproveitar esse oásis incrustado na grande e agressiva metrópole só para mim. Sem as marolas das lanchas dos técnicos ou a água "batida" de todos os outros barcos, quando com eles dividimos a Raia, pois com o passar dos anos até as "meninas" já são mais velozes, nos obrigando a "dar passagem" e depois a equilibrar o *skiff* sobre a água "mexida".

A madrugada, fria, chuvosa, foi na verdade uma oportunidade única de sentir, vivenciar essa experiência de, aos sessenta anos, poder aproveitar mais uma hora de puro prazer.

Venho, aliás, insistindo que, nesta fase, já não me considero master, talvez PhD. Devemos agradecer esta dádiva divina que é a prática de nosso esporte diariamente.

Insistimos em competir e nos medirmos, em nos compararmos com outros privilegiados que, como nós, desfrutam desse privilégio. Porém, só o fato de lá estarmos coloca-nos no universo dos executivos, empresários, funcionários, pais de família de mesma idade e que não praticam esportes com regularidade, em situação extremamente bafejada de sorte, alegria, prazer e saúde. Enfim o Caetano, que alguns ainda chamam Velho do Rio (remanescente da época em que se remava no rio Tietê), foi o hoje o Velho da Raia.

A sensação de ocupar esse espaço nessa manhã foi muito reconfortante; a exclusividade que me foi proporcionada completou os festejos de datas tão importantes, fixou em minha memória uma "experiência" talvez egoísta, mas inesquecível. Um dia que prometia iniciar com ressaca interna e externa, chuva, vento e frio, foi se transformando em uma manhã agradável, intensa de sensações positivas e que permitiu que mais uma

No vestiário, fazendo meus alongamentos/abdominais diários, obrigatórios para quem operou a coluna, percebi que a chuva já era torrencial.

Fé na Teoria de Caetano n.2, moldada para responder à famosa pergunta dos amigos leigos: "Você vai remar todos os dias? E quando chove?". Enunciado: "Nunca chove na hora do treino" (o que já me custou muitas saídas da água totalmente encharcado).

Fui ao barracão do Pinheiros e no caminho observei que todos se preparavam para usar os tanques/barco-escola, remoergômetros e aparelhos para pesos. Peguei o meu *skiff* e me dirigi, sob olhares atônitos de neófitos remadores, para o pontão.

Note bem: nesse momento o Thomé me aguardava, estranhando o atraso e reclamando do horário, mas, como eu conversava com nosso técnico na sala do computador, atrás dos armários, não nos vimos.

A Teoria se concretizou e iniciou-se um pequeno período de estiagem, que me incentivou a ir para a água.

Durou uns poucos minutos e a chuva recomeçou.

Nessas ocasiões procuro me manter próximo à margem, pois, como bom engenheiro eletrônico, conheço o princípio do "poder das pontas" para atrair descargas elétricas e sei que a área de "proteção" é um cone cuja base tem o diâmetro igual à altura. Nos retornos o conselho é manobrar rapidinho e voltar para a proteção das margens.

Bom, lá estava eu no skiff tomando uma "bela" chuva.

Os sons internos da Raia eram o barulho das manilhas de halteres que os remadores do Paulistano/Pinheiros/USP/Corinthians e Bandeirante usavam para aumentar sua força, substituindo o treinamento na água. Externamente, o "chiado" de caminhões em alta velocidade na molhada pista da marginal. E, no meio disso tudo, eu, gozando de uma prerrogativa, que convocado pelo Buck[1] para a Seleção, me naturalizei brasileiro, com direito, dado o porte físico, a ser "ameaçado" de servir na Polícia do Exército (PE). Por ser casado e ter filho, fui dispensado.

Completam-se também quarenta anos de remo, praticado de forma ininterrupta.

Isso tudo merecia um bom vinho e uma agradável noite, não característica de alguém que acorda às 4 horas todos os dias da semana. Assim, ao me deitar, mudei o despertador para as 5 horas, já planejando um treino mais curto antes de ir trabalhar no dia seguinte.

O Prosecco deve ter sido o responsável por me fazer esquecer que hoje, quinta-feira, seria o primeiro dia de treinamento, combinado anteriormente com o Nadim Thomé, no "meu horário" (4h30 na Raia), que ele só aceita por causa da minha intransigência e de seu altruísmo.

É o nosso *double* F para Zagreb, na Croácia.

O organismo não esperou o despertador, e às quatro acordei com gosto de cabo de guarda-chuva na boca, vontade de urinar, uma vez que o desenvolvimento natural da próstata com a idade não ajuda, por isso retardei em apenas meia hora minha chegada à Raia.

Ao descer do carro, chuva forte! Decidir: ficar na Raia e tentar partilhar os poucos recursos (remoergômetro, barco-escola/tanque) disponíveis, no seco? Ou voltar para casa e treinar no próprio remoergômetro?

Fiquei na Raia.

---

[1] Buck era o apelido de Guilherme Augusto do Eirado Silva (1927-1996), que foi técnico da Seleção Brasileira de Remo a partir de 1963. Sob o comando de Buck, a Seleção participou de sete Olimpíadas e dez Jogos Pan-Americanos, tendo conquistado cinco medalhas de ouro.

REMO, CARREIRA, FAMÍLIA E MEDICINA

Candido Leonelli

Hoje, caminhando para os 80 anos, recém-formado em Medicina, ainda remando e comemorando os dez anos do Instituto, repito uma crônica que escrevi ao completar 60 anos.

"Faço uma ode ao lugar onde tudo acontece, a Raia Olímpica da USP.

Os prazeres de uma madrugada fria e chuvosa de uma metrópole. Como?

Ontem, no meu aniversário de sessenta anos, jantei com a família, com direito à presença de quatro gerações: meus pais, filhos e netos.

Coincidentemente, nesse mesmo dia, completaram-se cinquenta anos de Brasil, onde cheguei como filho de imigrante. (Interessante a foto do passaporte da mãe, que na verdade inclui os filhos menores. Cito isso porque de surpresa ganhei da minha mulher um painel com fotos da nossa história e a do passaporte é marcante.)

Minha nova pátria, que tudo me ofereceu e onde nossa família se fixou e realizou. Até mesmo a cidadania, por vocação e opção.

Ainda no início da década de 1970, como condição para participar de campeonatos brasileiros de remo e na expectativa de ser

Este texto está cheio de VIVAS.

Para encerrar, o meu viva cheio de admiração e carinho para as meninas remadoras do Instituto Remo meu Rumo e para a Dani, professora Daniela Alvarez, grande remadora/mãe/professora, que há 10 anos mostra que remar é muito mais que praticar um esporte. Remar é vida! Viva o remo feminino de ontem, de hoje e do futuro!

Fomos as primeiras! Como dizem, "antes de nós era tudo mato". Fomos as primeiras a competir valendo pontos para os clubes, as primeiras paulistas a ganhar um título paulista, brasileiro, sul-americano e mundial. As primeiras a representar o Brasil numa Olimpíada e no Pan-americano. Abrimos caminho para todas as mulheres que vieram e que ainda virão!

Como mencionei no início do texto, aos 61 anos já esqueci muita coisa. Resolvi escrever para não esquecer mais. Para que os nomes de todas vocês, remadoras, fique gravado na minha memória e na memória da Raia e do remo feminino paulista. Agradeço ao Ricardo Marcondes Macéa, fundador, realizador e idealizador do projeto do livro e ao Instituto Remo meu Rumo, no seu aniversário de fundação, por esse espaço tão precioso!

ANA HELENA PUCCETTI é pioneira do remo no Brasil e rema há 40 anos. Foi campeã paulista, brasileira, sul-americana e mundial master inúmeras vezes. Fundadora, conselheira e voluntária do Instituto Remo Meu Rumo. Também é psicóloga do esporte, tenente da Aeronáutica, artista plástica e mãe do Pedro e do Gogo.

Ganhar medalha no FISA Masters é uma grande conquista, porque apenas os primeiros de cada prova são premiados. Não tem medalha de prata, nem de bronze. Só ouro. Foi uma alegria competir e ganhar no *double* feminino em 2018 em Sarasota, com a Dra. Anna Sara Levin, remadora do CEPEUSP.

As mulheres masters se misturam e montam barcos independentemente de clubes. Conseguimos montar quatro oitos "catados" para uma regata/celebração, só de oitos femininos em 2017 e 2018. Amamos remar, então para poder remar barcos maiores e mais barcos, nós nos unimos.

Viva a Fabi, a Pat, a Ligia, a Ana Rita, a Pat Corsi, a Yone, a Miriam, a Beti, a Alexandra, a Adriana, a Lucila, a Maya, a Marina, a Diana, a Iaara, a Mariel, a Silvia, a Maria Helena, a Leticia, a Camila, a Ana Flavia, A Gabi, a Adriana, a Helena, a Maria Fernanda, a Rafaela.

Viva as remadoras do REMAMA!

Hoje celebro as mulheres do remo de São Paulo nas minhas parceiras do Corinthians que sabem o valor de cada remada, que me aguentam, idosa geniosa, que tentam melhorar a cada treino: Viva a Soraia, voga raçuda, que sabe muito bem o que significa "tá pago"! Viva a Solange, minha amiga que é sinônimo de compromisso e tenacidade! Viva a Selena, a serena, e que, pela serenidade para aguentar as nossas personalidades fortes, merece um brinde com um bom vinho! Viva a Drica, uma das precursoras do remo no Brasil e em Brasília, que voltou a remar recentemente e trouxe emoção e paixão renovadas pelo remo para a nossa equipe. Viva a Samia, a Domenica, a Inglid, a Isabel, a Camila! Viva a renovação: Sophia, Kelly, Manuela, Esthefany, Isabely, Luanna, Marina, Manu, Vitória, Ana Beatriz, Alina, Bella, Julia. Somos fortes quando remamos juntas!

Mais recentemente, em 2007, tivemos nossa primeira mulher paulista a ser campeã mundial: Cláudia Cicero conquistou esse título inédito para o Brasil em Munique, no remo paralímpico.

Vanessa Cozzi, remadora destemida e determinada, treinou no Paulistano e no Pinheiros e conquistou, como peso-leve, cinco campeonatos brasileiros e dois sul-americanos, além de ter representado o Brasil no Pan-Americano. Foi a representante da Raia na Olimpíada de 2016, no Rio de Janeiro.

Viva as remadoras do início dos anos 2000: Carol, Bianca, Rosana! Vocês fizeram história para o remo de São Paulo!

A partir do ano de 2001, comecei a competir na categoria master, na qual estou até hoje e vou seguir, enquanto Deus permitir. O remo master só cresce no mundo e a Federação Internacional de Sociedades de Remo (FISA) chancela essa categoria, realizando todos os anos o World Rowing Masters Regatta.

Como master, remei no Pinheiros tendo a Rebeca, a Raquel e a Luciane como parceiras. No Paulistano, remei com a Sueli Koplewsky. Mãe de dois grandes remadores do Clube Atlético Paulistano, antes de virar remadora, ela levava o Renan e o Bruno para os treinos às 5 horas da manhã todo santo dia, até que (isso é ela quem conta, porque eu não lembro direito) eu perguntei por que ela não aproveitava e aprendia a remar também. E ela não só aprendeu, como também se tornou a primeira remadora master de São Paulo a conquistar uma medalha de ouro no FISA Master. E depois da primeira medalha vieram muitas outras. Um dia ela me falou: "Ana, eu vou te dar uma medalha de campeã mundial". Eu ainda não tinha nenhuma. E não é que ela cumpriu o que prometeu? Ganhamos medalha de ouro no *double* no FISA Masters de St. Catherines, no Canadá, em 2010. E depois ganhamos em Poznan no oito, em Bled no *four* misto e em Tswane no *four* misto, dois sem e oito misto.

dora do Instituto Remo meu Rumo. Fomos campeãs brasileiras e sul-americanas em 1997. Um título inédito para o Brasil. Lutamos pela nossa parceria e pelo nosso barco como só nós duas sabemos.

A luta das mulheres remadoras, naquela época, era silenciosa e silenciada. Lutamos dentro e fora da água. Essas batalhas que travamos juntas criaram uma relação de confiança, que é uma benção em nossas vidas, hoje e para sempre. Tudo o que passamos só nos uniu. É bom saber que podemos contar uma com a outra como irmãs nascidas do remo e da Raia.

Nos anos 1990, a participação feminina no remo de São Paulo cresceu. Era a época das irmãs Dulcinéia e Renata, da Marilene, da Cris e da Kitty, da Elisa, e da Monica Anversa – com quem remei no Bandeirantes e fui campeã brasileira, em 1995, no *double*, e disputei o pré-olímpico no Rio de Janeiro em 1996.

Viva todas as remadoras de São Paulo da década de 1990! Sei que tem outras cujos nomes não estão aqui, mas sintam-se representadas! (Eu avisei que a memória está falhando...)

No início dos anos 2000, tivemos a Luciana Granato, que foi a primeira remadora da raia a representar o Brasil numa Olimpíada! Além da participação olímpica, a Luciana foi para dois campeonatos pan-americanos e três sul-americanos.

A Caroline Beloni, que começou na Raia como júnior no Corinthians, foi para a seleção brasileira, ficou em 8º no mundial sub-23 em 2002, e foi bicampeã sul-americana no dois sem. Grande remadora especialista em palamenta simples! Participou de dois Pan-Americanos.

A Ana Luisa Palassão foi outra remadora paulista peso-leve que se destacou no remo brasileiro. Fez parte da Seleção Brasileira e foi campeã sul-americana peso-leve em dupla com a Fabiana Beltrame em 2005.

estava na lancha que ia acompanhando os barcos durante a prova e depois de alguns minutos intermináveis tentando fazer os barcos ficarem alinhados gritou: "Atenção! Todas prontas? Sai!". Os companheiros do clube Esperia, da marE gem, gritavam "Vai, Ana! Força! Vai!", e eu saí para minha primeira experiência de competição. E saí bem mal. A plateia persistia torcendo: "Vai, Ana, vai!" E eu ficava enforcando o remo, de um lado e de outro e o barco não saía do lugar. Dava uma, duas remadas, e enforcava de novo. Aquilo tudo me pareceu com o caos. Aquela chuva chata, os remos que não colaboravam, os meus amigos do clube que tinham desistido de gritar para mim e estavam discretamente se afastando para não assistir ao meu fiasco. E veio a pergunta que ecoou na minha cabeça: "O que é que eu estou fazendo aqui?"

Hoje eu sei que continuo respondendo essa pergunta, quase todos os dias, há 40 anos, nas madrugadas na Raia: Estou fazendo o que eu amo: REMAR!

Viva as remadoras da raia da década de 1980! Fomos as primeiras, precursoras num esporte que demorou para abrir espaço para as mulheres. Edenise, Renata, Luciana, Soraya, Vera, Flavia, Marisa, Marcia.

Outra remadora precursora do remo paulista foi a Paula Ribeiro Costa. Fomos parceiras no Clube Atlético Paulistano no início dos anos 1990. Eu já era mãe dos meus dois filhos, o Georgios, que nasceu em 1988, e o Pedro, que nasceu em 1991. Quando ficava grávida, eu parava de remar. E voltava logo depois de terminada a quarentena. A diferença de idade entre a Paula e eu não era problema para fazer força na água. E juntas nós ganhamos o Campeonato Brasileiro Sênior no *double*, contra o Flamengo, treinado pelo lendário Buck, na Lagoa Rodrigo de Freitas.

No final da década de 1990 tive o privilégio de ter como parceira de barco a Dra. Patricia Moreno, idealizadora e funda-

VIVA AS REMADORAS DA RAIA OLÍMPICA DA USP!

Ana Helena Puccetti

Viva as remadoras da Raia Olímpica da USP!

Em 2023 a Raia completou 50 anos. Em 2024, faz 40 anos que eu comecei a remar. Acho que eu sou a remadora há mais tempo em atividade no Brasil. Muitas lembranças da raia se apagaram com o tempo. Vou tentar relembrar algumas histórias das mulheres/remadoras/parceiras/amigas da raia, enquanto ainda resta alguma memória.

Em 1976, o CEPEUSP começou a oferecer a modalidade remo para mulheres. Mas foi na década de 1980 que o remo feminino se tornou competitivo. Muitas remadoras começaram nessa época. A Cristina Lentino é uma delas. A Cris é uma precursora do remo na USP. Estávamos juntas na primeira prova oficial de remo feminino de São Paulo, em 1985. Antes as provas femininas eram provas extras. Não contavam pontos para os clubes no Campeonato Paulista. Escrevi um texto sobre essa prova há alguns anos:

> Chegou o dia da prova. Um dia de garoa fina e vento frio que deixava a raia olímpica da USP toda cinza. Sentei no barco e fui remando até a saída. Era um barco do tipo canoe. As outras competidoras foram se colocando lado a lado, sob os cabos com as placas que indicam cada baliza. O juiz de saída

Agradecemos também aos tantos amigos voluntários que doaram seu tempo e talento, em uma ação colaborativa, potente e integrada.

Isso é Amor Puro.

Esse barco tem rumo, tem um líder forte, apaixonado e dedicado aos nossos alunos e à nossa equipe. Muito amor ao Remo Meu Rumo e à nossa família. Obrigada, Ricardo.

PATRICIA MORENO é médica ortopedista pediátrica graduada e com doutorado pela Faculdade de Medicina da Universidade de São Paulo (FMUSP), especialista em Medicina do Esporte. Professora colaboradora da FMUSP, chefe do grupo de Ortopedia Pediátrica do Instituto de Ortopedia e Traumatologia do Hospital das Clínicas da FMUSP (IOT-HCFMUSP). Ex-atleta internacional de voleibol (University of Florida – Gators) e remo (atleta da Seleção Brasileira), idealizadora e coordenadora acadêmica do Instituto Remo Meu Rumo e mãe do Artur, o amor da sua vida.

Seguindo meu amor pelo esporte, tive o privilégio de cultivar grandes e insolúveis amizades. Este foi o ponto de partida do Instituto Remo Meu Rumo: meus queridos amigos, entre eles Ana Helena Puccetti, minha parceira de barco, guarnição campeã sul-americana, e que se tornou uma amiga do coração. É madrinha do Remo Meu Rumo e também nossa madrinha de casamento, uma pessoa valiosa, verdadeira e presente, assim como Candido Leonelli, exemplo de disciplina e determinação e pessoa que o remo nos apresentou e cuja amizade foi fortalecida pela escolha em comum, a Medicina, além de meu marido, Ricardo Marcondes Macéa, nosso líder incansável.

O trabalho acontece num ambiente de amor entre todos, mas é permeado de competência e dedicação. A equipe do Instituto Remo Meu Rumo tem professores de Educação Física, fisioterapeutas, psicóloga e assistente social, todos profissionais qualificados, cuidadosos, interessados e envolvidos na missão de trazer um mundo melhor para crianças com deficiência por meio dos valores do esporte.

Somos muito gratos à professora Daniela Alvarez, líder entusiasmada e afetuosa, campeã e *expert* em canoagem; professor Cesar Augusto Moreira, especialista em remo adaptado e inquieto multitarefas; fisioterapeutas Fernanda Gomes, de enorme amor pelos alunos e por seu ofício, e Moisés Laurentino, estudioso de linda trajetória, de estagiário a mestre; psicóloga Natália Angélica Souza, com boa experiência em Terceiro Setor e Pessoas com deficiência; e às assistentes sociais Ângela dos Santos, dedicada e agregadora, e Jennifer Macena, que semeou essa área tão importante; além da coordenadora Sueli Felizardo Costa, facilitadora, organizada e generosa; e a todos os que eles capacitaram.

Foram muitas mãos que tocaram as vidas das crianças.

não apenas no aspecto físico, mas também no emocional, educacional e social.

O esporte pode ser a vivência e a experiência que são necessárias para o desenvolvimento pessoal do jovem com deficiência, e pode interferir na transição de uma criança e adolescente para ser um adulto confiante e produtivo. Estar em um ambiente de respeito, estimulante e inclusivo é fundamental para a formação como cidadão.

Remar não é apenas um esporte; é uma energia que vai ajudar a guiar o destino desses jovens. É essa filosofia que nós, amigos, encontramos para concentrar nossa dedicação em promover a mudança na vida das pessoas. A vivência do esporte por crianças e adolescentes vai gerar uma memória afetiva forte, uma emoção intensa, fortalecendo-os com a prática esportiva, levando esses valores para suas vidas.

Um dos pilares do Instituto Remo Meu Rumo é o conhecimento científico agregado, que registra os resultados, os ganhos físicos, sociais e de qualidade de vida dos atendidos, gerando publicações importantes e parcerias com Instituições como o Centro de Práticas Esportivas da USP (CEPEUSP), a Faculdade de Medicina (FMUSP), a Escola Politécnica (Poli-USP), a Faculdade de Economia, Administração, Contabilidade e Atuária (FEA-USP), a Escola de Educação Física e Esporte (EEFE-USP) e a Faculdade de Arquitetura e Urbanismo (FAU-USP). O Instituto Remo Meu Rumo é parte do centro integrado de neuro-ortopedia da Faculdade de Medicina da USP, atuando com inovação e extensão e apoio à comunidade.

Mantém também parcerias internacionais, como a University of British Columbia, no Canadá, com a qual implementa um projeto de reabilitação de crianças com paralisia cerebral tendo o remo como ferramenta, chamado Row to Grow.

não são as partes que somam 100%, mas os 100% de cada um que se somam, ainda que cada um tenha habilidades e qualidades diferentes. A relação de confiança que se estabelece ao remar no mesmo barco é inerente a esse esporte.

E remando eu me especializei em ortopedia pediátrica. Tratando de crianças e adolescentes com paralisia cerebral e outras condições, congênitas ou adquiridas, que afetam o aparelho locomotor, pude acompanhar muitos ganhos de mobilidade obtidos com o tratamento cirúrgico e fisioterápico.

Constatei também que esses jovens haviam passado uma boa parte da vida realizando terapias e tratamentos em clínicas e hospitais. O tempo da infância que foi despendido nessas atividades é irrecuperável. Infelizmente, essas crianças e adolescentes cresceram tendo como foco as suas deficiências.

A transição do ambiente hospitalar para um ambiente onde as potencialidades fossem valorizadas seria o ideal. Crescer para vencer, como no esporte. Muitas vezes, porém, quando eu perguntava aos meus pacientes se eles gostariam de fazer esporte, eles nem sabiam o que responder.

Naquela minha rotina de fazer o treinamento de remo nas primeiras horas da manhã e depois seguir para o hospital, pensei que essas crianças poderiam fazer o caminho inverso: ir do hospital para a Raia Olímpica da USP, completar sua agenda de terapias num ambiente esportivo e ter a oportunidade de iniciar a prática de um esporte, o que ajudaria a nortear suas vidas.

No entanto, além de mobilidade, essa prática demanda acessibilidade, transporte adequado e facilitado. Elas precisam de uma estrutura com materiais e equipamentos adaptados, adequados às suas necessidades. E também devem receber um acompanhamento diferenciado, feito por profissionais experientes e preparados, para que elas se desenvolvam plenamente,

O RUMO DO AMOR

Patricia Moreno

O Instituto Remo Meu Rumo é uma história de amor. É sobre o amor ao próximo, ao remo e aos rumos. É sobre um coração generoso e corajoso que impulsiona o barco que remamos juntos: meu amor, Ricardo.

O amor é um valor universal, assim como outros que nos norteiam. Na infância e na adolescência, pude vivenciar os valores do esporte que foram naturalmente incorporados e fortaleceram a caminhada. Aprendizados sobre disciplina, compromisso e perseverança foram fundamentais para seguir em frente.

E no esporte embarquei. Comecei a praticar voleibol na minha cidade natal e cheguei até o voleibol universitário americano, pratiquei basquetebol e atletismo, mas o remo foi o esporte que me encantou por completo. Remar é sentir o vigor do corpo e a quietude da mente, numa plenitude de si mesmo.

Remar é um exercício de introspecção e, ao mesmo tempo, é também um verdadeiro esporte de equipe. Dentre os remadores de um barco coletivo, não é possível identificar o mais forte ou o mais técnico. Em caso de vitória numa competição, sobem ao pódio até oito remadores e o timoneiro do barco, sem ser possível dizer quem é o destaque. O destaque será sempre o grupo.

O barco a remo exige cooperação e sintonia entre todos os remadores, mas não é possível compensar o trabalho de um companheiro de barco que não está fazendo o seu. Cada remador pode apenas remar o seu máximo, o seu 100%. A força do barco

PAULO SALDIVA é médico patologista e remador. Professor titular do Departamento de Patologia da Faculdade de Medicina da Universidade de São Paulo (USP). Foi membro do comitê que estabeleceu os padrões de qualidade do ar e do comitê que definiu o potencial carcinogênico da poluição atmosférica, ambos da Organização Mundial da Saúde (OMS). É membro titular da Academia Nacional de Medicina e da Academia Brasileira de Ciências. Ex-diretor do Instituto de Estudos Avançados da USP.

PREFÁCIO

Paulo Saldiva

Há que se remar com força e superar o cansaço.
Equilibrar o barco mesmo em maroladas águas.
Persistir mesmo que o esforço faça arderem a perna e o braço.
Deslizar, fazer flutuar o coração pesado de mágoas.
Acordar cedo, abraçar a equipe, perder o medo, mesmo que o medo fique.
Ter a força e a certeza de vencer a própria fraqueza.
Colaborar, perder, saber levantar e, principalmente, ser humilde na hora de vencer. Riscar nas águas o arco que conduz ao porto onde ancoram a generosidade e a compaixão.
Fazer gentes diferentes remarem no mesmo barco.
Estar, mesmo que por poucos instantes, atentos o suficiente para agradecer ao milagre diário do nascer do sol, com o corpo presente.
Instantes flutuantes, eternos, marcantes.
Momentos preciosos em que o esforço conjunto atinge objetivos especiais e generosos. É assim que, presumo, seja o resumo do Remo Meu Rumo.
Coisa feita com a audácia do impulso combinado com a razão.
Tudo junto e misturado, o coração e o fato pensado.
Em tempos tão bicudos, egoístas, escuros, é sempre bom saber que é possível quebrar os limites impostos pelos muros da desesperança e construir novos futuros.

**AMPLIANDO O IMPACTO POSITIVO COM O ESG E
A SUSTENTABILIDADE** ———————————————————— 264
Marcus Nakagawa

**INSTITUTO REMO MEU RUMO — UM PROJETO DE
DIVERSIDADE E INCLUSÃO QUE INSPIRA PRÁTICAS ESG** —— 271
Dani Verdugo

O FUTEBOL PRECISA ABRAÇAR A AGENDA ESG ———————— 275
Amir Somoggi

HISTÓRIAS DE REMADOR ———————————————————————— 282
Cesar Seara Neto

CASADA COM O REMO ————————————————————————— 286
Marilia Ferraz Cardoso

O ESPORTE TEM O PODER DE MUDAR O MUNDO? ———— 287
Daiany França Saldanha

ALÉM ——————————————————————————————————————— 293
Mario Saad

IKIGAI ——————————————————————————————————————— 296
Ricardo Marcondes Macéa

Patricia Moreno, fundadora, coordenadora acadêmica, médica ortopediatra da USP, cirurgiã e atleta internacional de voleibol e remo.

Foto: Beto Lima

Inauguração da raia, 1972.

Primeira regata, 1972.

Candido e seu filho, Cassiano Leonelli.

Alvorecer na raia da USP.

Guarnição campeã sul-americana, 1997.
Primeiro título internacional do remo brasileiro feminino.
Renata Gorgen, Patricia Moreno, Ana Helena Puccetti, Claudia Alencar.

Ana Helena e Patricia com o treinador Breno Manczck
e o Troféu do Campeonato Sul-americano de 1997.

Campeãs sul-americanas Patricia Moreno (cabelo moreno)
e Ana Helena Puccetti, atletas do Clube Esperia.

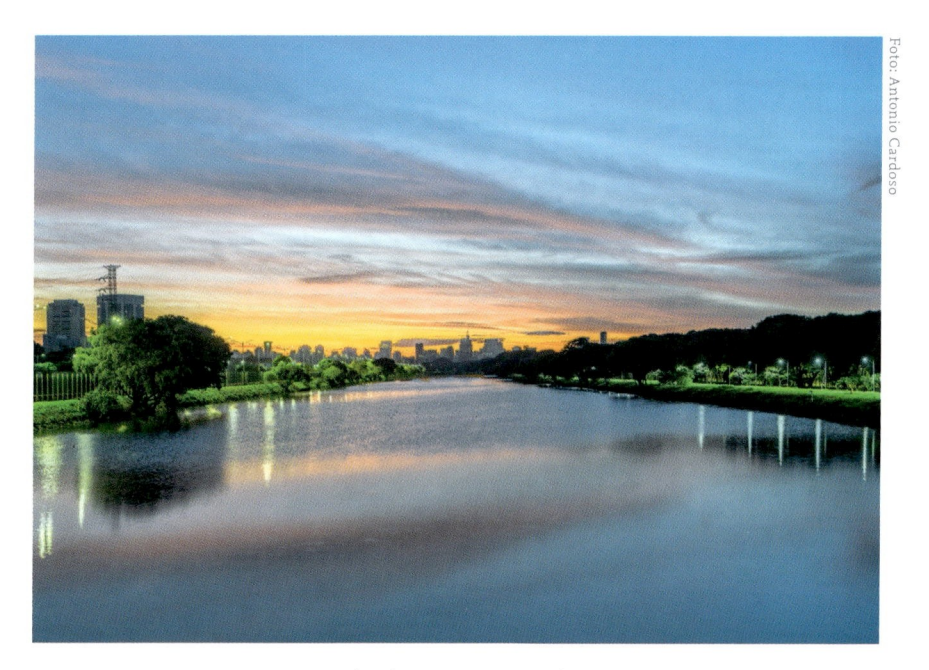

Cores do alvorecer na raia da USP.

Dia nascendo na raia e em Sampa.

Professor José Carlos Simon Farah, diretor do CEPEUSP, multicampeão de remo e referência da raia da USP.

Forquetas.

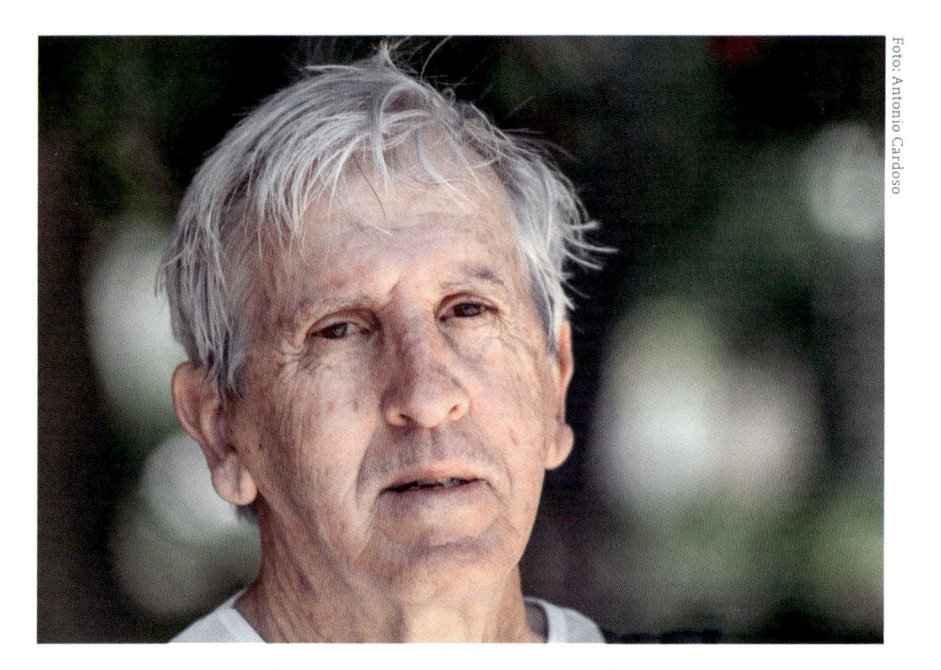

Professor Ricardo Linares Pereira, referência
do remo paulista e da raia da USP.

Um oito e a beleza da raia da USP.

Madrugada na raia.

Espelho d'água.

Candido Leonelli, mais de cinco décadas de remo.

Foto: Antonio Cardoso

Madrugada na raia

REMO: braços firmes e pernas sem celulite

"Remar é a minha vida. Há 14 anos acordo de madrugada, antes das 5 horas da manhã, vou à raia e treino. Sempre gostei de esporte e aos 21 anos me encontrei nele. No clube paulista Espéria, onde sou sócia, tinha remo para homens. Pedi para entrar naquele seleto grupo e o treinador deixou. Queria melhorar minha forma física e só. Mas como sou bem alta – 1,81 m –, comecei a ganhar várias competições e hoje sou campeã sul-americana. Não é uma vida fácil – além das madrugadas, a gente enfrenta muita dor. Dói o corpo todo, principalmente o bumbum, porque no barco sentamos num carrinho de madeira. Os benefícios, no entanto, são incalculáveis: minha resistência cardiovascular é de maratonista, nunca fui de fazer musculação mas tenho ombros largos, braços firmes e nenhuma celulite nas pernas. O remo é meu alimento para o resto do dia, o que me dá energia, faz bem para minha alma. Fico feliz por ter descoberto isso."
Ana Helena Puccetti, 36 anos, estudante de psicologia.

"O remo dá uma resistência muscular de maratonista"

Ana Helena, pioneira do remo paulista.

Ana Helena, remadora do Esperia.

Carol Rocha e Patricia, atletas do Pinheiros.

Double, Patricia Moreno e Carol Rocha, atletas do Pinheiros.

Renê Pereira, medalhista nos Jogos Paralímpicos de Tóquio 2020.

Equipe técnica Guilherme Soares, Jacob e César Moreira (professor IRMR), e Renê recebendo a medalha de bronze.

Renê na sede do Remo Meu Rumo.

Isaquias Queiroz, canoísta, multimedalhista olímpico.

Amyr Klink, remador, navegador, escritor e palestrante. Amyr foi a primeira pessoa a fazer a travessia do Atlântico sul a remo em 1984, história narrada no livro *Cem dias entre o céu e o mar*.

Barco de Amyr Klink na raia da USP.

Grande parte dessas condições desfavoráveis deve-se ao fato de que as pessoas com deficiência ainda enfrentam barreiras no acesso a serviços básicos, como saúde, educação e trabalho, além da falta de informações disponibilizadas de forma acessível.

O princípio que deve nortear a sociedade é a busca pelo desenvolvimento humano de forma sustentável para todas as pessoas, sem ressalvas. Dessa forma, a inclusão ocorreria continuamente, de maneira sutil, natural e implícita na vida cotidiana das pessoas. Certamente viveríamos em um mundo mais justo, humano e equitativo, onde o desenvolvimento tecnológico conviveria harmoniosamente com a evolução sustentável da humanidade.

ARACÉLIA COSTA é especialista em Inclusão e Diversidade, ex-secretária de estado dos Direitos da Pessoa com Deficiência de São Paulo e consultora em Sustentabilidade Institucional.

QUAL É O SEU PAPEL CAUSADOR PARA A INCLUSÃO NO ESPORTE?

Aline Morais e Rafael Públio

Quando começamos a trabalhar com inclusão de pessoas com deficiência, percebemos que o maior desafio era mostrar para a sociedade o quão capaz e autônoma uma pessoa com deficiência pode ser, quando há a oferta adequada de recursos e ambientes acessíveis.

Essa batalha acontecia em todas as áreas — educação, saúde, trabalho, lazer, entre outras —, mas era em especial no esporte que a pessoa com deficiência conseguia melhor demonstrar que um corpo diverso não significa menos possibilidades, doença ou fragilidade.

E foi por meio do esporte e de atletas com deficiência que vimos mais pessoas começarem a ser impactadas por essa verdade!

Você sabia que a equipe de atletas nas modalidades paralímpicas se equipara à equipe de atletas nas modalidades olímpicas em desempenho e resultados? São sempre fonte de muito orgulho e admiração para a população brasileira.

Frequentemente vemos atletas com deficiência estampando capas de revistas, dando entrevistas para telejornais e protagonizando projetos de incentivo à prática esportiva adaptada e inclusiva.

Recentemente, em 2022, vimos o atleta polonês de futebol para amputados Marcin Oleksy ganhar o prêmio de gol mais bonito do mundo, concorrendo com atletas com e sem deficiência.

Apesar disso, os desafios ainda são muitos. O Brasil é um país cheio de desigualdade social, e o impacto dessa desigualdade afeta de maneira mais cruel as pessoas com deficiência.

Segundo a Organização Mundial da Saúde (OMS), 80% das causas das deficiências estão relacionadas à pobreza, como a falta de acesso a serviços de saúde, saneamento básico e insegurança alimentar.

Esses desafios se tornam ainda maiores quando pensamos em políticas públicas de inclusão para essas pessoas. É uma parcela da população que acaba invisibilizada pela dificuldade de sair de casa, pela falta de acesso ou de oportunidades.

Com a aprovação da Lei Brasileira de Inclusão (Lei n. 13.146/2015), um marco regulatório de direitos para garantir a inclusão de pessoas com deficiência em todos os aspectos da vida, o direito à prática esportiva foi reforçado como um aspecto importante para a saúde física e mental e uma oportunidade de socialização e inclusão na comunidade.

A Lei Brasileira de Inclusão afirma que todas as pessoas com deficiência têm o direito de participar de atividades físicas e esportivas, de forma recreativa ou competitiva. Além disso, estabelece que as instalações esportivas devem ser adaptadas para garantir a acessibilidade e a inclusão.

Essas adaptações podem incluir rampas, elevadores, banheiros acessíveis, sinalização em braille, entre outras medidas que tornem possível a prática esportiva para todas as pessoas. Sem distinção.

A prática esportiva implica muitos ganhos e benefícios para pessoas com deficiência, como:

– **Melhoria da saúde física:** ajuda a melhorar a força muscular, a flexibilidade e a saúde cardiovascular, além de ajudar a controlar o peso e reduzir o risco de doenças crônicas.
– **Melhoria da saúde mental:** ajuda a reduzir o estresse, a ansiedade e a depressão, além de melhorar a autoestima e a confiança.
– **Oportunidades de socialização:** proporciona oportunidades para conhecer novas pessoas e fazer amizades, além de promover a inclusão social.
– **Desenvolvimento de habilidades:** ajuda a desenvolver a coordenação, o equilíbrio, a resistência e habilidades motoras.
– **Estímulo do senso de competição saudável:** incentiva as pessoas a desenvolverem um forte trabalho em equipe e motivação. Ao mesmo tempo, a prática de esportes pode ajudar a ensinar o respeito pelas regras, a ética e a honestidade.
– **Inclusão e igualdade:** ajuda a promover a inclusão e igualdade de pessoas com deficiência na sociedade, além de combater o preconceito e a discriminação.

É fundamental que as pessoas com deficiência tenham acesso às atividades esportivas e a instalações esportivas adaptadas, garantindo assim o direito à prática esportiva e aos benefícios que ela pode trazer.

A inclusão social e a promoção da igualdade devem ser objetivos primordiais para que todas as pessoas possam desfrutar de atividades esportivas.

No entanto, nossas instituições governamentais ainda não têm capacidade de atender à demanda existente na população. Não há equipamentos esportivos acessíveis em número suficiente e distribuídos de maneira a contemplar as dimensões transcontinentais do nosso país. Além disso, faltam profissionais preparados e com conhecimento para receber pessoas com deficiência e incentivar o paradesporto.

Ainda são as organizações sociais as grandes incentivadoras e promotoras do desenvolvimento esportivo, principalmente de pessoas com deficiência.

Por isso, projetos como o Instituto Remo Meu Rumo são fundamentais para a promoção dessa transformação social que tanto queremos e acreditamos ser possível. O trabalho realizado não oferece somente esporte e seus inúmeros benefícios, mas também a chance de um futuro muito mais promissor e protagonista. Oferece, como o próprio nome diz, um rumo para a nossa sociedade entender o potencial dessas crianças e adolescentes.

Com isso, possibilita que essas crianças e jovens, que desejam viver em um mundo onde sua deficiência seja somente uma característica e onde sejam vistas como são e possam explorar todo o potencial que carregam dentro de si para o esporte e para a vida.

Nós, como parte de um grupo de militantes e pessoas apaixonadas pela defesa dos direitos humanos, temos como missão apoiar, fortalecer e incentivar projetos como esse. Porque entendemos que esse é o papel causador que nos movimenta e nos faz sonhar com um presente e um futuro mais inclusivos.

ALINE MORAIS E RAFAEL PÚBLIO são causadores da Santa Causa. Aline é jornalista e especialista em projetos sociais e Gestão de Diversidade. Ela acredita que o convívio é fundamental para o exercício da aceitação e respeito à diversidade. Rafael é publicitário e especializado em Gestão Pública e Marketing. Para ele, empatia é algo que se aprende e a diversidade é um exercício diário que não se faz sem investimento, mas que trará resultados incríveis.

Ambos têm larga experiência em projetos de políticas públicas, em direitos humanos e para pessoas com deficiência.

São fundadores da Santa Causa, uma empresa social que tem como missão tornar os ambientes de trabalho mais acessíveis, inclusivos, seguros e saudáveis para todas as pessoas.

HISTÓRIA DO ESPORTE ADAPTADO NO BRASIL

Elizabeth de Mattos

O esporte para pessoas com deficiência no Brasil se iniciou graças a dois grandes visionários que ficaram paraplégicos na década de 1950, um carioca e outro paulista. Em 1958, Robson Sampaio de Almeida fundou, no Rio de Janeiro, o Clube do Otimismo. Ele sofreu um acidente nos Estados Unidos e passou pelo serviço de reabilitação naquele país, onde praticar alguma modalidade esportiva adaptada ao uso da cadeira de rodas fazia parte do tratamento.

Em São Paulo, em 1957, Sérgio Serafim Del Grande, que também participara de reabilitação nos Estados Unidos, já havia montado um grupo de basquete em cadeira chamado "Ases em Cadeira de Rodas" (o primeiro time de basquete sobre rodas no Brasil), que fazia apresentações para fins recreativos. Com o apoio de vários personagens que circulavam nos meios político e esportivo, resolveram fundar o Clube dos Paraplégicos de São Paulo (CPSP).

A cerimônia de fundação foi marcada para 28 de julho de 1958, numa apresentação que ocorreria na abertura de um torneio de tênis, com a participação da nossa campeã de tênis da época, Maria Esther Bueno. O CPSP escolheu essa data para a fundação do clube não por acaso, mas porque nesse dia, dez anos antes, havia sido inaugurada a Federação Internacional de Esportes de Stoke Mandeville, na Inglaterra, entidade pioneira mundial do esporte em cadeira de rodas. A apresentação da equipe nesse dia contou com dez cadeiras fabricadas a partir de um modelo básico americano que Del Grande trouxera do hospital onde se tratara, e o grupo ainda tinha mais duas cadeiras de reserva.

O jogo com o Clube do Otimismo ocorreu apenas no ano seguinte, pois o pessoal desse clube não tinha cadeiras específicas para jogar basquete. Ainda assim, nesse jogo, ocorrido em 16 de agosto de 1959 no Maracanã, as cadeiras dos reservas do CPSP foram cedidas aos atletas do Clube do Otimismo para serem usadas durante a partida. Foi a primeira competição que incentivou o crescimento do esporte adaptado no país, e mais tarde outras modalidades foram desenvolvidas.

O desenvolvimento de entidades que gerenciam o esporte adaptado no Brasil se deu pela necessidade. Em 1969, o Brasil participou das primeiras competições internacionais, em Buenos Aires, dando início a uma sequência de conquistas. Acontece que essas representações se davam alternadamente pelo Clube do Otimismo e pelo CPSP.

Em 1972, o Brasil foi representado pela primeira vez em Jogos Paralímpicos, em Heidelberg (Alemanha). A partir dessa jornada internacional houve a necessidade de criar uma entidade que organizasse o paradesporto nacionalmente e falasse numa única voz com as organizações internacionais, uma vez que os times do Clube do Otimismo e do Clube dos Paraplégicos de São Paulo se alternavam também nessas comunicações, conforme as necessidades de cada um.

Em 1975, os Jogos Pan-Americanos ocorreram no México. As equipes chegaram separadamente, primeiro o CPSP e no dia seguinte o Clube do Otimismo, ambas pleiteando a representação brasileira. Foi feito um acordo de participação no local do evento e na volta, no avião que trazia a delegação brasileira ao Brasil, chancelou-se a ideia do professor Aldo Miccolis, que queria criar uma entidade nacional que representasse o Brasil no esporte para pessoas com deficiência. Assim, no dia 18 de agosto de 1975, fundou-se a Associação Nacional de Desporto para Excepcionais (Ande), agregando todos os atletas com algum tipo de deficiência. E já nasceu com um desafio: realizar os Jogos Parapan-Americanos de 1977.

O aumento da participação e de modalidades forçou uma reestruturação no gerenciamento das modalidades praticadas por pessoas com alguma deficiência, bem como uma separação para favorecer o desenvolvimento de cada modalidade específica. Os atletas cegos criaram a Associação Brasileira de Desporto para Cegos (ABDC), em 1984. Já os atletas com lesões medulares e os que possuíam sequelas de poliomielite que praticavam suas modalidades em cadeira de rodas criaram a Associação Brasileira de Desporto em Cadeira de Rodas (Abradecar), no final do mesmo ano. Ainda no mesmo ano, os surdos formaram a Confederação Brasileira de Desportos de Surdos (CBDS), embora sua história tenha começado bem antes, na década de 1950, com o intenso movimento de criação de associações de surdos. No início essas associações funcionavam como espaços de recreação e lazer, mas com o passar do tempo passaram a ser importantes pontos de articulação política e de prática desportiva.

Mais tarde, por causa do futebol praticado com muletas, criou-se a Associação Brasileira de Desporto para Amputados (ABDA — 1990); depois, fundou-se a Associação Brasileira de Desportos para Deficientes Mentais (ABDEM — 1995). Com essa segmentação, a Ande mudou sua designação para Associação Nacional de Desportos para Deficientes e passou a lidar somente com os atletas que tenham sequelas de paralisia cerebral e *les autres* (os outros, em francês), que descreve um grupo de atletas com deficiências motoras (como nanismo, distrofia muscular, queimaduras com sequelas de limitação de movimentos, lesões ortopédicas diversas) e que não se encaixem no sistema então vigente de classificação esportiva para atletas com alguma deficiência física.

Em 1995, foi criado o Comitê Paralímpico Brasileiro (CPB) por cinco entidades nacionais existentes naquela ocasião (Ande, ABDC, Abradecar, Abda e Abdem), com o objetivo de representar e consolidar o esporte no cenário nacional e internacional, além de representar o país nos Jogos Paralímpicos. A CBDS fica de fora por não concordar com sua representação internacional por intermédio de uma entidade que unia todas as atividades esportivas praticadas por pessoas com alguma deficiência. Todas essas associações cresceram, mudaram, proliferaram e existe uma tendência a se dividirem para fixar suas necessidades por modalidade, e se possível em parceria com as federações e confederações das modalidades não adaptadas e olímpicas.

O REMO ADAPTADO OU PARA-REMO

Já o remo adaptado no Brasil seguiu outra evolução. O remo paralímpico brasileiro teve início na década de 1980, no Rio de Janeiro. A Superintendência de Desportos desse Estado (Suderj), sob a direção dos profissionais Celby Rodrigues Vieira dos Santos e Dalva Alves dos Santos Filha, implantou o "Projeto Remo Paralímpico — uma nova perspectiva para a pessoa com deficiência física", no Estádio de Remo da Lagoa. Entre os objetivos estavam a reabilitação e o lazer, a melhoria da qualidade de vida, o desenvolvimento esportivo e também a busca de talentos para a modalidade. Inicialmente voltado a pessoas com lesão medular, sequelas de poliomielite e paralisia cerebral, mais tarde o projeto passou a incluir atletas com deficiências auditiva e intelectual.

Um marco importante foi a apresentação do atleta carioca Claudionor Francisco dos Santos numa regata oficial na Lagoa Rodrigo de Freitas, no Rio de Janeiro. Porém, somente em 2005, depois de dois Campeonatos Mundiais, a Confederação Brasileira de Remo (CBR) ativou o departamento de remo adaptado, chamado "remo adaptável", o que mais tarde deu origem ao que hoje é gerido pela Confederação Brasileira de Remo.

Essa foi a semente que germinou, cresceu e se solidificou. Milhares de pessoas com deficiência pelo Brasil encontram hoje no esporte uma possibilidade, seja de lazer, seja de reabilitação, ou até mesmo de uma profissão. No Ano Internacional das Pessoas Deficientes (1981), a Secretaria de Educação Física e dos Desportos (Seed) e o Centro Nacional de Educação Especial (Cenesp) se vincularam ao Ministério da Educação e Cultura (MEC), e entre 1984 e 1985 montaram um projeto integrado estudando possibilidades de pessoas com deficiências na Educação Física e no esporte.[3] No entanto, foi com a criação da Secretaria dos Desportos, em 18 de abril de 1990, regulamentada pelo Decreto n. 99.244, de 10 de maio do mesmo ano, e pela Medida Provisória n. 309, de 16 de outubro de 1992, que a instituição se integrou ao MEC. Foi então criado o Departamento de Desporto das Pessoas Portadoras de Deficiências, com o objetivo

---

3 PETTENGILL, N.G.; COSTA, A.M. A Educação Física e os Desportos para Pessoas Portadoras de Deficiência no Brasil no período de 1980 a 1992. Em: CARMO, A.A.; SILVA, R.V.S. (Eds.). *Educação Física e a Pessoa Portadora de Deficiência*. Série especialização e Monografia 2. Uberlândia: UFU. 1997, p.269-339.

de promover a qualificação profissional visando ao desenvolvimento da prática esportiva para esse segmento da população.[4]

Até então, o paradesporto no Brasil era desenvolvido por meio de campeonatos regionais e nacionais, de forma bastante precária pela falta de recursos para investir na realização de grandes eventos. Nessa época, com o apoio do Governo Federal e de várias empresas públicas e privadas, foram realizados os primeiros Jogos Brasileiros Paradesportivos, que reuniram em Goiânia cerca de setecentos atletas.

No ano seguinte, a atividade ganhou dimensão e importância para a mídia, favorecendo o apoio de patrocinadores, e assim os II Jogos Brasileiros Paradesportivos contaram com a participação de quase novecentos atletas. O investimento também permitiu a preparação de 58 atletas que representaram o país nos X Jogos Paralímpicos de Atlanta. O evento contou com a participação de artistas, esportistas olímpicos e do então ministro Pelé.

Em 2001, foi sancionada a Lei n. 10.264 (Lei Agnelo/Piva), que determina que 2% da arrecadação bruta dos prêmios das loterias federais sejam repassados aos Comitês Olímpicos e Paralímpicos brasileiros. Desse montante, 15% dos recursos são direcionados ao CPB e devem investir na formação, preparação técnica, manutenção e locomoção dos atletas aos locais de competição.

Segundo o CPB e o Comitê Paralímpico Internacional, o IPC, o remo está no programa paralímpico desde os Jogos de Pequim de 2008. Diante do panorama mundial do remo paralímpico — a

---

4 PETTENGILL, N.G; MARINHO, E.M.B. Formação de recursos humanos para a área do desporto adaptado. In: Anais do IV Simpósio Paulista de Educação Física Adaptada. São Paulo, 1992, p.71.

modalidade foi aceita no programa dos Jogos Paralímpicos em 2005 —, o esporte ganhou força no Brasil.

A Confederação Brasileira de Remo reativou o Departamento de Remo Paralímpico, e a aula inaugural aconteceu no Estádio de Remo da Lagoa, reunindo cerca de quarenta jovens com paralisia cerebral, deficiência física e síndrome de Down. A modalidade esportiva é regida pela World Rowing (Fisa — Federação Internacional das Sociedades de Remo) e hoje é chamada de para-remo.

O para-remo é o remo ou remo aberto a remadores (masculinos e femininos) com deficiência que atendam aos critérios estabelecidos nos regulamentos e estatutos de classificação do para-remo do IPC. O para-remo era anteriormente chamado de remo adaptativo e foi disputado pela primeira vez no Campeonato Mundial de Remo de 2002, em Sevilha, na Espanha.

Foi introduzido no programa paralímpico em 2005, e nos Jogos Paralímpicos de Pequim de 2008 foi realizado pela primeira vez. Os Jogos Paralímpicos do Rio de 2016 contaram com 26 países competindo no para-remo por doze medalhas em quatro classes de barcos, um total de 48 barcos e 96 remadores. As medalhas foram distribuídas entre sete países, com a Grã-Bretanha conquistando o maior número delas.

O para-remo está integrado de forma única ao remo mundial, e os para-remadores participam ao lado de atletas fisicamente aptos em algumas das Copas Mundiais de Remo e no Campeonato Mundial de Remo todos os anos. José Paulo Sabadini de Lima, responsável pelo Departamento de Remo e Canoagem do Esporte Clube Pinheiros, na cidade de São Paulo, e um dos coordenadores do remo paralímpico nas Paralimpíadas de Londres de 2012, aponta como uma das primeiras iniciativas voltadas à modalidade o projeto do Centro de Práticas Esportivas da Universidade de São Paulo (CEPEUSP), que proporcionava a vivência de modalidades esportivas adaptadas a jovens com síndrome de Down entre os anos de 1999 e 2003.

Em São Paulo, em 2006, o Esporte Clube Pinheiros (ECP) iniciou um projeto de remo paralímpico por incentivo de José Paulo, que era formado em Educação Física e ex-atleta amador de remo. Ele já havia se envolvido com o remo paralímpico em 2004, por intermediar a inclusão de um jovem com síndrome de Down — irmão de um amigo que havia participado do projeto do CEPEUSP — e auxiliá-lo numa turma de adolescentes sem deficiência que treinava na Raia da USP. Em 2007, a paulistana Cláudia Cícero dos Santos, atleta do ECP, conquistou a primeira medalha brasileira do remo paralímpico em uma competição internacional. Ela ganhou o ouro no Campeonato Mundial da modalidade, realizado na Alemanha. Antes, em 2004, a participação brasileira no Mundial do Remo na Espanha alcançou o quinto lugar, conquistado pelo atleta Moacir Rauber, de Santa Catarina, na categoria *skiff* masculino.

Em 2023, o Instituto Remo Meu Rumo, que incentivou este texto, completou dez anos divulgando a modalidade, oferecendo habilitação e reabilitação para diversas pessoas com deficiência, além de desenvolver com muita seriedade atendimento às pessoas que procuram essa entidade em busca de um novo rumo para suas vidas!

ELIZABETH DE MATTOS é graduada em Terapia Ocupacional pela Universidade de São Paulo (USP) e licenciada em Educação Física pela mesma instituição. Professora doutora da Escola de Educação Física e Esporte da USP de 1992 a 2017, lecionou também no Centro Universitário das Faculdades Metropolitanas Unidas (FMU). Mestre em Pedagogia do Movimento Humano e doutora em Neurociências (Neurologia) pela USP. Atuou na área de Educação Física Adaptada e no esporte adaptado. Foi chefe do Comitê de Classificação Paralímpico Brasileiro de 1996 a 2001. Atualmente ministra palestras, cursos e treinamentos.

UNINDO DIVERSIDADE, CELEBRANDO CONQUISTAS: O ESPORTE ADAPTADO COMO CONEXÃO HUMANA

Giovanna Carla Interdonato

Quando nos referimos a uma pessoa que tem algum tipo de deficiência, não podemos duvidar de suas capacidades e "achar" sua deficiência limitante, deixando-a sem perspectivas e totalmente impossibilitada. Uma abordagem eficaz para desmantelar esse equívoco é a promoção da prática esportiva, mediante a adaptação cuidadosa das atividades às necessidades específicas da pessoa em questão.

A pessoa com deficiência é portadora de vida, enriquecida por sentimentos e princípios valiosos. Seu corpo é movimento, mesmo que em limitações específicas. No entanto, infelizmente essa visão não é compartilhada por todos. Reconhecer a participação ativa das pessoas com deficiência desempenha um papel crucial ao fomentar um desenvolvimento saudável no complexo processo de socialização. Além disso, a inclusão esportiva propicia oportunidades enriquecedoras de lazer, contribuindo para o aprimoramento da autoestima e o estabelecimento de vínculos significativos.

Por intermédio de atividades esportivas adaptadas, por exemplo, podemos não apenas desafiar os estigmas enraizados na sociedade, mas também criar espaços onde indivíduos com deficiência podem florescer plenamente. Ao se engajar em esportes adequados às suas capacidades, eles podem demonstrar suas habilidades únicas e inspirar outros ao seu redor. Além disso, ao incluir pessoas com deficiência em diversos aspectos da vida social, estamos enriquecendo a diversidade e a perspectiva da comunidade, contribuindo para um ambiente mais inclusivo e enriquecedor para todos.

Proporcionar a oportunidade de engajar-se em atividades esportivas não apenas fomenta a inclusão de indivíduos com deficiência, mas também desempenha um papel fundamental na preservação de sua saúde e de suas capacidades funcionais. Essa participação ativa fortalece suas habilidades e desencadeia um notável impacto positivo em sua autoconfiança e autoestima.

As atividades esportivas podem ser uma via para a descoberta e a exploração de novas paixões e interesses. Elas oferecem uma plataforma para desafiar limitações percebidas, evidenciando que a deficiência não é um obstáculo intransponível, mas um aspecto que pode ser incorporado de maneira única na busca de metas pessoais. A sensação de realização resultante do desenvolvimento progressivo das habilidades físicas não apenas impulsiona o bem-estar físico, mas também nutre a mente e o espírito, criando um ciclo virtuoso de crescimento pessoal.

É certo que muitas outras iniciativas anteriores ocorreram, mas o esporte adaptado tal qual o conhecemos hoje teve seu início em fevereiro de 1944, com a fundação do Centro de Reabilitação para Lesados Medulares do Hospital de Stoke Mandeville, próximo à cidade de Aylesbury, na Inglaterra. Na época, o neurologista e neurocirurgião alemão de origem judaica Sir Ludwig Guttmann, exilado naquele país e a convite do governo britânico, iniciou a prática de atividades esportivas como forma de reabilitação para os soldados que voltavam da Segunda Guerra Mundial com sequelas de lesão medular.

Paralelamente ao trabalho do Dr. Guttmann, Benjamin Lipton, que naquela época desenvolvia nos Estados Unidos programas de inclusão de pessoas com deficiência no mercado de trabalho, em associação com o professor Thimothy Nugent, deu início ao desenvolvimento do basquete em cadeira de rodas em 1946. Em 28 de junho de 1948, seguindo o trabalho do Dr. Guttman, ocorrem os primeiros Jogos de Stoke Mandeville — precursores das Paralimpíadas.

Em 1950, Guttmann e Lipton/Nugent realizaram um intercâmbio entre suas intervenções. Assim, os Jogos de Stoke Mandeville passaram a ter caráter internacional em 1957. Em 1960, os jogos foram realizados em Roma, no mesmo local dos Jogos Olímpicos, marcando a tão sonhada aproximação com o evento olímpico almejada por Guttmann — oportunidade em que o Papa João XXIII teria reservadamente dito a Guttmann: "Tu és o Coubertin dos deficientes", fazendo alusão ao Barão Pierre de Coubertin, o grande idealizador dos Jogos Olímpicos da Era Moderna e que tiveram seu início em 1896.

Em 1972, os Jogos de Stoke Mandeville ocorrem em Heidelberg, na Alemanha, e contaram com a primeira participação do Brasil. Após outras três edições dos Jogos, em 1988, foi realizada a primeira Paralimpíada em Seul, Coreia do Sul, e desde então as Paralimpíadas ocorrem sempre no mesmo local das Olimpíadas.

O movimento paralímpico se solidificou em 1989, com a criação do Comitê Paralímpico Internacional (IPC), seguindo a mesma organização e proposta do Comitê Olímpico Internacional (COI).

O esporte adaptado foi introduzido no Brasil na década de 1950. Dois brasileiros procuraram por serviços de reabilitação nos

Estados Unidos, após terem sofrido lesão medular em razão de acidentes. Ambos conheceram e praticaram esportes adaptados em seus programas de reabilitação e, ao retornarem ao país natal, fundaram associações de esporte adaptado, com o basquete em cadeira de rodas. Sérgio Serafim Del Grande fundou o Clube dos Paraplégicos de São Paulo, na capital desse estado, em 28 de julho de 1958, e Robson Sampaio de Almeida fundou o Clube do Otimismo, em 1º de abril de 1958, na capital do Rio de Janeiro.

"Esporte adaptado" é um termo utilizado apenas no Brasil e consiste em uma possibilidade de prática para pessoas com deficiência. Foi necessário adaptar regras, fundamentos e estrutura a fim de permitir a participação dessas pessoas. Em outros idiomas, o termo mais comum é "esporte para pessoas com deficiência" ou *"sport for people with disabilities"*. Já "esporte paralímpico" designa as modalidades adaptadas que fazem parte do programa dos Jogos Paralímpicos. Cada esporte possui sua particularidade, que irá direcionar o planejamento e a subsequente condução das atividades.

O princípio primordial a ser observado no esporte adaptado é que, em razão da classificação funcional, os atletas apresentarão diferentes potenciais funcionais. Cabe ao técnico conhecer o sistema de classificação em suas particularidades, pois um erro de julgamento pode fazer um atleta ser treinado para uma função não condizente com seu potencial funcional. O foco da prática pedagógica deve recair sobre a pessoa que pratica a atividade. Portanto, ao lidar com o atleta com deficiência, é importante considerar as especificidades que cercam o sujeito, por exemplo, tempo de lesão, funcionalidade e experiências motoras prévias.

De acordo com o CPB, atualmente existem 22 modalidades paralímpicas, e mesmo assim, infelizmente, poucas são as oportunidades oferecidas para o engajamento dessas pessoas com deficiência. As barreiras impostas vão muito além das arquitetônicas, incluindo a falta de capacitação de profissionais para lidar com essa população, de materiais apropriados e, sobretudo, de informação para os próprios jovens com deficiência e seus familiares.

Não são poucos os trabalhos científicos que destacam o sedentarismo como responsável por doenças hipocinéticas e redução na qualidade de vida dessas pessoas. A prática regular de esportes tem uma boa correlação com o estado de saúde. Esses indivíduos devem ser encorajados a ter um estilo de vida mais ativo, com vistas ao controle dos custos na área da saúde, redução das incidências de doenças crônicas degenerativas e melhoria na sua percepção de qualidade de vida.

Ao fechar este capítulo, fica evidente que o esporte assume um papel transformador e libertador na vida das pessoas com deficiência. Por meio da prática adaptada e inclusiva, elas não apenas desafiam barreiras físicas e mentais, mas também desvendam a força interior e a resiliência que residem dentro delas. Cada passo, cada movimento, é um testemunho da capacidade humana de superar desafios aparentemente intransponíveis. O esporte proporciona uma plataforma para o desenvolvimento físico, além de nutrir a alma, alimentando a autoconfiança, a autoestima e a conexão com os outros.

À medida que avançamos, lembremo-nos de que cada conquista, grande ou pequena, ecoa não apenas no campo de jogo, mas também nas vidas que são tocadas e inspiradas por esses exemplos vivos de determinação e triunfo sobre a adversidade.

O próximo capítulo aguarda, cheio de promessas e potencial, guiado pelo poderoso espírito da inclusão esportiva.

> **GIOVANNA CARLA INTERDONATO** é professora, doutora e mestre em Biodinâmica do Movimento Humano, além de fisioterapeuta e bacharel em Esporte. Autora do livro *Atividade física para crianças e adolescentes com deficiência*, fisioterapeuta da Seleção Brasileira de Ultramaratona, mãe da Aya e do Akira, esposa do Seiti, apaixonada pela vida e muito grata a Deus.

INSTITUTO DE ORTOPEDIA E TRAUMATOLOGIA (IOT) & INSTITUTO REMO MEU RUMO

Tarcisio Eloy Pessoa de Barros Filho

A associação entre reabilitação e esporte tem sido praticada há vários anos no Instituto de Ortopedia e Traumatologia do Hospital das Clínicas da Faculdade de Medicina da Universidade de São Paulo (IOT-HCFMUSP). Os pacientes do Grupo de Paralisia Cerebral, em particular, todo final de ano participavam da chamada "Olímpiada Pacote", coordenada pelo Prof. Dr. João Gilberto Carazzato, que na época chefiava também o Grupo de Medicina Esportiva e fazia a ligação entre os dois grupos. Treinavam por um ano com orientação de profissionais especializados.

Era emocionante ver pacientes, médicos, terapeutas e famieliares participando do evento, no qual todos eram vencedores e todos eram campeões e medalhistas. Os resultados obtidos eram fantásticos. Esse projeto prosseguiu sob a liderança do Prof. Dr. André Pedrinelli.

Com o Instituto Remo meu Rumo (IRMR) inaugurado em 2013, a Prof. Patricia Moreno mantém e reforça essa tradição do IOT com espírito de integração, inclusão e participação coletiva de uma equipe multidisciplinar extremamente dedicada, composta por médicos, terapeutas, educadores físicos, psicólogos e assistentes sociais.

O ato de remar e os exemplos propiciados por essa atividade já têm sido descritos em várias frases clássicas e com muito significado motivacional, como "Se não há vento, reme" e a afirmação de Sêneca "Para quem não sabe para onde quer ir, nunca há vento a favor".

O próprio IOT nasceu há 70 anos com o objetivo de acolher e cuidar de outra forma de paralisia, a poliomielite, cuja epidemia na década de 1940 atingia toda a cidade de São Paulo. Com o desenvolvimento das vacinas a doença foi controlada, o IOT foi progressivamente mudando o perfil de seus pacientes e tornou-se o maior hospital de Ortopedia e Traumatologia da América Latina. Entre as outras afecções que passaram a ser atendidas, a paralisia cerebral passou a representar um grupo importante de pacientes. Além de fornecer tratamento especializado de altíssima qualidade e reabilitação a esse grupo de pacientes, o IOT passou a contar com essa importante ferramenta propiciada pelo Instituto Remo Meu Rumo, que no seu início foi idealizado como uma instituição que faria seu trabalho voltado exclusivamente para reabilitar pessoas com deficiências físicas, contudo, sua abrangência aumentou pela qualidade do serviço prestado e atualmente atende pacientes com deficiências intelectuais, auditivas e visuais, dentre outras, bem como um público sem deficiência, pois tem como princípio que o trabalho de inclusão começa ao fazer com que todos possam dele participar sem distinções.

Atualmente, com aproximadamente duzentos alunos e uma equipe multidisciplinar de especialistas, desenvolve-se trabalho de reabilitação biopsicossocial, contribuindo com empoderamento e protagonismo de pessoas com deficiências e também para que sejam constituídos núcleos de apoio e pertencimento entre alunos, amigos e familiares.

Progressivamente outros pacientes e outros diagnósticos têm sido incluídos e inclusive outras pessoas sem deficiência têm participado do projeto.

Parabéns a todos os profissionais dedicados ao desenvolvimento do projeto, que têm sido motivo de orgulho para todos nós do IOT. Sigam em frente, sempre com os princípios tão bem descritos na missão do IRMR: "Facilitar a inclusão, viabilizando a prática de remo e canoagem adaptados para crianças e adolescentes com deficiência física a fim de promover seu desenvolvimento físico, psíquico e social".

TARCÍSIO ELOY PESSOA DE BARROS FILHO. Professor titular de Ortopedia e Traumatologia da Faculdade de Medicina da Universidade de São Paulo (FMUSP). Diretor da FMUSP (2018-2022). Presidente da Sociedade Brasileira de Ortopedia e Traumatologia (2008). Presidente da Academia Brasileira de Ortopedia e Traumatologia (2022-2023).

PESSOAS PARA PESSOAS
André Pedrinelli

Quando recebi o convite do Ricardo e da Patrícia para participar deste livro, a primeira reação foi de gratidão e depois de preocupação. O que eu poderia dizer que já não seria abordado por algum dos outros convidados, todos muito renomados e com grande experiência nas suas áreas de atuação? Confesso que me tomou tempo para pensar em algo que fosse interessante, diferente e que contribuísse para o sucesso do livro.

A primeira ideia é fazer um resgate da minha história pessoal. Afinal, como e por que um ortopedista treinado em cirurgia do joelho se envolveu com a prática de atividade esportiva com pessoas com deficiência? Como dizem no Hospital das Clínicas, sou prata da casa. Fiz toda a minha formação acadêmica e técnica na FMUSP e até hoje ainda estou na Casa de Arnaldo. Já são mais de 45 anos.

Nos idos anos 1990, para ingressar na pós-graduação do Instituto de Ortopedia e Traumatologia do Hospital das Clínicas da Faculdade de Medicina da Universidade de São Paulo (IOT--HCFMUSP), havia a necessidade de consentimento do professor titular e aceitação de um orientador (de uma lista preestabelecida pela comissão). Naquela época não tínhamos liberdade de escolher o tema; este era proposto pelo orientador.

Meu orientador designado para o mestrado foi o saudoso Prof. Diomede Beliboni, então Chefe do Grupo de Amputados do IOT. O assunto por ele escolhido foi prótese imediata pós-

-amputação traumática. Ponderei com ele que seria interessante realizar um trabalho prospectivo, para o que seria primordial criar um ambulatório específico permitindo o acompanhamento dos casos operados e a serem operados pela técnica de colocação de prótese imediata pós-amputação traumática.

Foi aí que tudo começou. As pessoas que seriam meus pacientes por décadas (ainda hoje alguns o são) deram o pontapé inicial na transformação deste profissional. Na época, já formado em Medicina do Esporte pela EEFUSP, entendia como fundamentais seus pilares básicos: diagnosticar, tratar e prevenir. Comecei a me deparar com os problemas da reabilitação dos pacientes e a buscar soluções para ajudá-los, já que tinham uma necessidade diferente dos tradicionais pacientes ortopédicos.

Para entender as necessidades específicas, tive de conversar e muito com os meus pacientes, pois cada um deles tinha uma visão da sua condição e do que precisaria para o seu dia a dia ser mais fácil.

Desenvolvemos uma equipe multidisciplinar centrada na pessoa que atenderíamos e, dentro da estrutura possível de um hospital-escola público, oferecer as soluções que melhor caberiam caso a caso. Essas soluções não poderiam limitar-se ao pós-operatório imediato e sim aos muitos anos subsequentes, pois a condição de mobilidade do paciente passava a ser definitiva. Mas as suas necessidades mudariam com o tempo.

Foi aí que introduzimos o uso da atividade física no processo de reabilitação desses pacientes, não só com o intuito de recuperação da cirurgia, mas também de preparação para o gasto energético. A compreensão e orientação para o desenvolvimento de força, equilíbrio e mobilidade seriam essenciais para o uso da prótese, provendo independência às pessoas.

Foram 17 anos de trabalho contínuo junto ao Grupo de Amputados do IOT. A convivência com os meus pacientes, a quem sou infinitamente grato, me ensinou a ser um médico melhor: que ouvia, examinava e conversava sobre as possibilidades de tratamento que melhor se adequavam a cada caso, a cada pessoa. O grande desafio era tentar adequá-los da melhor maneira possível à sua nova condição.

Com as crianças, esse processo sempre foi mais desafiador, pois tanto a criança quanto seus familiares e cuidadores não conseguiam prever as necessidades futuras. A equipe multidisciplinar precisaria estar atenta às mudanças que certamente ocorreriam ao longo do tempo. Quando tiramos o nosso foco da doença e o redirecionamos à pessoa envolvida, conseguimos ter uma visão mais abrangente das soluções e as possibilidades se multiplicam. Entender que nenhum segmento da área de saúde é detentor de todo o conhecimento, utilizando critérios de trans e interdisciplinaridade, particulariza a busca e o encontro de soluções.

O conhecimento da atividade física e seus benefícios a curto, médio e longo prazo permite aos nossos pacientes terem a possibilidade de escolher o que querem fazer (cada um dentro do seu limite). No processo de reabilitação, o conhecimento de um esporte ou atividade esportiva específica contribui para o alcance de novas metas e novas conquistas.

Qual a grande diferença entre a equipe multidisciplinar que avalia, planeja e executa um programa de treinamento com o objetivo do desenvolvimento de saúde e qualidade de vida? Um pouco de conhecimento, talvez maturidade pela idade e experiências anteriores, mas com certeza a visão macro da questão, quando o paciente em geral tem uma visão mais individual a respeito.

No remo, todos remam juntos, na mesma direção e com sincronia; somente assim será possível tentar chegar a um resultado futuro. Seguramente sempre é um trabalho longo, contínuo e com altos e baixos, mas a vida não é assim? O que entendo em projetos como o Instituto Remo meu Rumo, é a possibilidade de usar a Medicina do Esporte no seu sentido mais amplo (ter uma vida o mais saudável possível), para, a partir das dificuldades, identificar possibilidades e desenvolver estratégias que possam preparar as pessoas para enfrentá-las e, se possível, superá-las.

Projetos como esse têm a capacidade de unir academia e sociedade, aliando o conhecimento das necessidades com a possibilidade de soluções com um olhar preventivo e inclusivo. Pessoas que intercambiam seus conhecimentos e histórias de vida.

Agradeço aqui a oportunidade de ter podido colaborar infimamente com vocês.

ANDRÉ PEDRINELLI formou-se em Medicina em 1984 pela Faculdade de Medicina da Universidade de São Paulo (FMUSP). Nesse mesmo ano, durante um estágio na cidade de Colônia, na Alemanha, no Institutfur Kreislsaufforschungund Sportmedizin, o interesse pela Ortopedia e Traumatologia em geral e pela Medicina do Esporte surgiu e ele começou a dedicar-se integralmente a essas especialidades. Especialista em Medicina do Esporte, foi médico da equipe profissional de futebol da Sociedade Esportiva Palmeiras. Atualmente é médico oficial da Confederação Sul-Americana de Futebol (CONMEBOL), diretor do Centro Médico de Excelência da FIFA, professor livre-docente na FMUSP e chefe do Grupo de Medicina do Esporte do Instituto de Ortopedia e Traumatologia do Hospital das Clínicas da Faculdade de Medicina da Universidade de São Paulo (IOT-HCFMUSP). Foi eleito em 2023 presidente da Sociedade Brasileira de Medicina do Exercício do Esporte (SBMEE).

ATIVIDADE FÍSICA É O RUMO

José Ricardo Pecora

Quando o amigo Ricardo Marcondes Macéa me ligou, me convidando para escrever um texto para o livro comemorativo dos dez anos do Instituto Remo Meu Rumo, pensei qual poderia ser minha contribuição nessa data importante. Nunca entrei num barco a remo de competição na minha vida. É verdade, assisti a algumas regatas da saudosa Mac-Med, competição que reunia os alunos do curso de Engenharia do Mackenzie e da Faculdade de Medicina da USP. Só que isso foi no final da década de 1970 e início da década de 1980, quando estava na graduação. O remo era ponto nosso, tínhamos na nossa equipe dois grandes destaques, os hoje professores titulares da FMUSP Wilson Jacob e Paulo Saldiva.

Refletindo então sobre a minha relação com o esporte, percebi o quanto ela foi importante na minha própria vida. Apesar de nunca ter sido um esportista de ponta, tive algum destaque defendendo as equipes universitárias de atletismo, futebol e handebol da Associação Atlética Acadêmica Oswaldo Cruz da Faculdade de Medicina da USP. Na verdade, meu interesse pelo esporte começou cedo. Provavelmente por ter crescido numa família de gerações de palmeirenses, que acompanhavam de perto a primeira academia do "Palestra", como ainda era chamado o Palmeiras lá em casa, ou por ter vivido o momento do auge da carreira do Pelé, que culminou com a conquista do tricampeonato mundial de futebol no México. O certo é que sempre guardei grande interesse pelo esporte e a sua prática.

Tudo isso fazia com que eu, assim como a maioria dos meninos daquela época, não perdesse qualquer oportunidade de jogar bola. Seja usando caroço de manga como bola no recreio da escola no bairro do Ipiranga, seja mais tarde, na rua, junto com os serventes de obra e pedreiros das casas em construção nas ruas ainda desertas do bairro do Morumbi, usando os tijolos das obras como gol. Naquela época, as fronteiras urbanas ainda não eram tão profundas, e o esporte informal ainda funcionava como ponto de convívio e trocas mais horizontais.

De fato, o esporte, durante o curso médico, foi para mim, mesmo que com alguma dosagem de competitividade, um meio de socialização, troca de experiências, portas abertas e novas amizades, mesmo entre adversários.

Conheci o Instituto Remo Meu Rumo mais recentemente e meio por acaso, numa apresentação da Dra. Patrícia Moreno, do Grupo de Paralisias, durante uma das reuniões clínicas do Instituto de Ortopedia e Traumatologia do Hospital das Clínicas da Faculdade de Medicina da USP (IOT-HCFMUSP). Me chamaram a atenção a iniciativa e os resultados surpreendentes que os seus alunos alcançavam, não só na habilidade da prática do remo, mas principalmente no ganho de autoestima, permitindo um engajamento cada vez maior na dedicação aos estudos e na inserção no mercado de trabalho, mudando o panorama da sua vida, de toda a sua família e comunidade.

Anos mais tarde, fui indicado para chefiar o Serviço de Ortopedia do Hospital Universitário da USP.

Tive notícia da necessidade de suporte médico para eventuais acidentados do projeto. Sabendo de possíveis candidatos a futuros alunos remadores, firmamos uma parceria entre o Serviço de Ortopedia do HU-USP e o Instituto Remo Meu Rumo, mais tarde estendido ao Serviço de Pediatria e, por intermédio do Serviço Social, aos possíveis candidatos da comunidade São Remo, vizinha à USP. Foi e tem sido um prazer apoiar a comunidade com nosso atendimento.

Aliando dedicação profissional exemplar, conhecimento científico de ponta, serviço social e redes de apoio intersetoriais, o Instituto Remo Meu Rumo é um desses projetos especiais que concretizam a verdadeira vocação da universidade pública. As crianças e adolescentes beneficiados pelo projeto veem suas vidas transformadas para muito além do tratamento clínico como pessoas portadoras de deficiência. Os depoimentos dos beneficiados pelo projeto relatam o desenvolvimento de sua autoestima, a melhora no desempenho escolar, a construção de perspectivas profissionais, o fortalecimento de laços familiares, a promoção da socialização e da saúde mental. São muitos os efeitos positivos alcançados, provando que esporte é vida em sua mais ampla concepção.

A universidade pública tem um papel fundamental a desempenhar no apoio a comunidades em promover seu desenvolvimento físico, psíquico, social e emocional.

Parabenizo o hoje também amigo palmeirense Ricardo pelos dez anos completados do seu sonho junto da Patricia, que se tornou realidade.

Que os frutos da sua iniciativa, que faz mudar positivamente a perspectiva de vida de pessoas e famílias, se multipliquem. Sigamos remando!

JOSÉ RICARDO PECORA é formado em Medicina pela Faculdade de Medicina da Universidade de São Paulo (1981), com mestrado em Ortopedia e Traumatologia (1996), doutorado em Ortopedia e Traumatologia (1999) e livre-docência também pela Faculdade de Medicina da USP (2012). Atualmente é diretor científico do Grupo de Joelho do Hospital das Clínicas e chefe do Serviço de Ortopedia do Hospital Universitário da Universidade de São Paulo, parceiro institucional do Instituto Remo Meu Rumo.

Bernardinho, treinador de voleibol, multicampeão pela seleção brasileira.

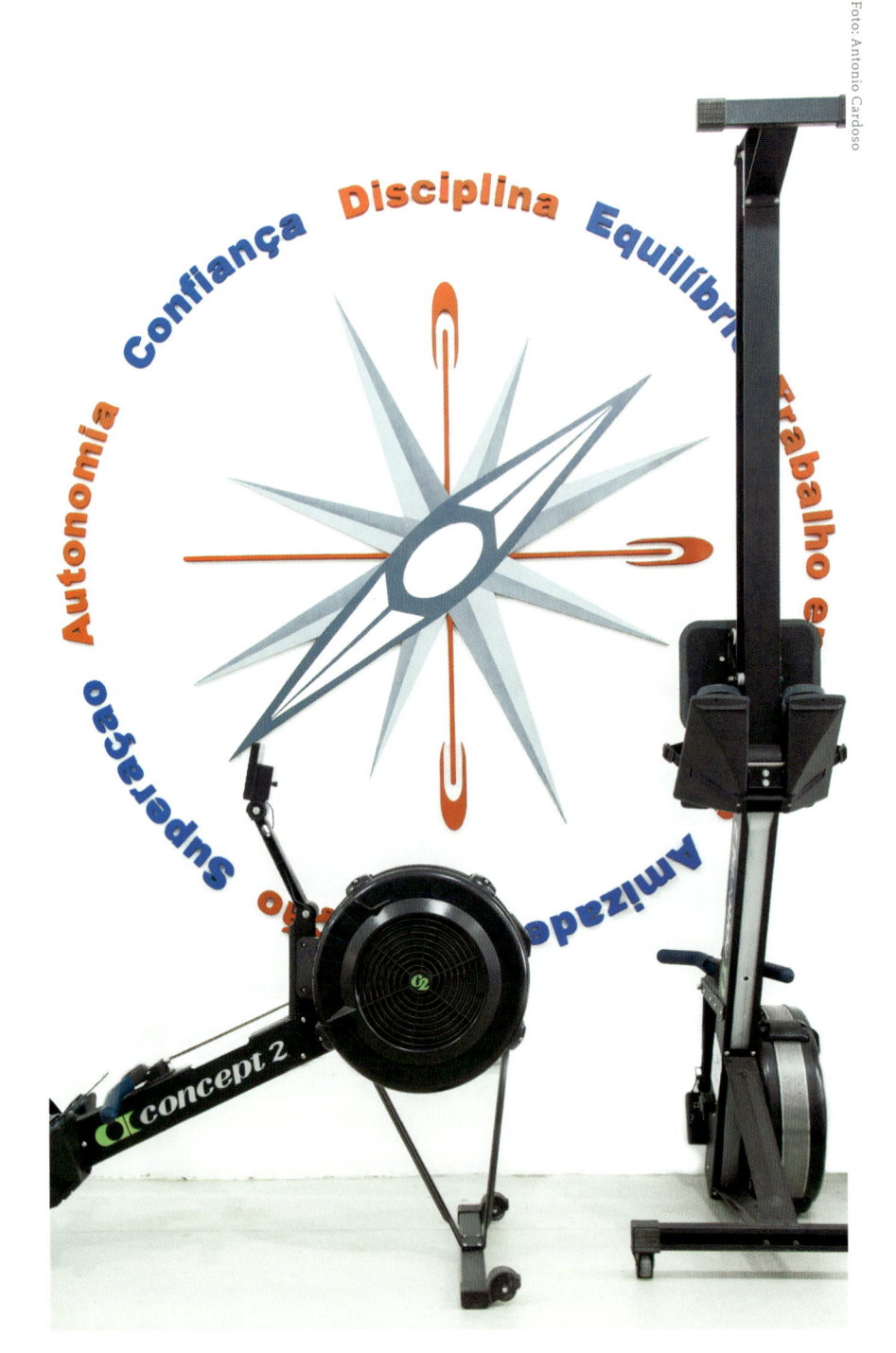

Roda dos valores do esporte do Remo Meu Rumo, e remoergômetros.

Matheus Alexandre e Vitinho.

Vitinho em atividade esportiva no campo

Vitor Almeida, o Vitinho, que iniciou esportivamente no IRMR em 2014, tornando-se nadador de alto rendimento do CPB, classificando-se para os Jogos Paralímpicos de Paris 2024.

Vitinho iniciando sua carreira vitoriosa.

Comemorando mais uma vitória.

Pedro Brito, remando yole de madeira — remo raiz.

IRMR em suas primeiras remadas. Barcos de madeira do CEPEUSP.

Foto: Beto Lima

Primeiros alunos (Danilo, Guilherme e Diogo) com
o mestre Ricardo Linares e professor Marcio.

Professor Linares na
familiarização aquática.

Professor Linares no
alongamento pós-atividade.

Karoline Ribeiro, uma das primeiras alunas do IRMR, focada no remoergômetro.

Foto: Roberta Pereira

Naiane, Juliana, Daniela Alvarez (Profa. IRMR) e Ariela.

Daniela Alvarez (Profa IRMR), Ariela, Bruna e Naiane.

Aluno Anael, que fez iniciação esportiva no IRMR e tornou-se jogador de futebol de cegos da seleção brasileira, CPB, com o professor Cesar Moreira.

Candido e sua larga experiência timoneando
um four de alunas do IRMR.

Four das meninas.

Pedro Brito e Samuel Palhares.

Patricia e Ricardo em mais um sábado de alegria na raia.

Foto: Roberta Pereira

Catamarã, barco de iniciação em água, remado por Ana Helena e alunos.

Aluno Rafael remando rumo ao futuro.

Foto: Roberta Pereira

Matheus Alexandre, remando palamenta dupla.

Poliana Okimoto, medalhista olímpica de maratona aquática.

Fabi Beltrame, campeã mundial
de remo e remadora olímpica.

ATIVIDADE FÍSICA, SAÚDE E LONGEVIDADE

Wilson Jacob Filho

Para iniciar estas considerações sobre a relação entre atividade física e longevidade, nada melhor do que buscar uma afirmação de Hipócrates (460-377 a.C.), registrada no tratado *Corpus Hippocraticus*: "As partes do corpo que se mantêm ativas envelhecem lentamente e com saúde, enquanto as inúteis ficam doentes e envelhecem precocemente".

O grande mestre, pelas preciosas observações que preconizava como essenciais a quem se propõe a cuidar da saúde de si mesmo ou de outrem, postulou que usar adequadamente o nosso corpo contribui para a manutenção da saúde e posterga as limitações frequentes na longevidade.

Infelizmente esses conceitos milenares se contrapõem a uma progressiva cultura que caracteriza a substituição da atividade motora por mecanismos eletroeletrônicos como sinônimo de progresso. É inegável a enorme contribuição dos veículos motorizados, dos elevadores ou de qualquer outro dispositivo que permita ao ser humano realizar tarefas que não conseguiria fazer com seus próprios recursos, mas, como seria esperado ocorrer, seu excesso de uso está provocando um malefício ainda maior: uma progressiva pandemia do sedentarismo em todas as faixas etárias.

Tudo faz crer que a contração muscular será cada vez mais poupada nas atividades do cotidiano, principalmente nos países mais desenvolvidos, paralelamente ao progressivo aumento do tempo diante de uma (ou mais) telas de comunicação eletrônica. A consequência inexorável dessa associação de fenômenos comportamentais é o aumento da prevalência de sobrepeso e obesidade, mormente nas populações mais jovens, o que amplia os efeitos fisiopatológicos dessa condição nas doenças cardiovasculares e nas osteoarticulares.

Tanto os distúrbios metabólicos decorrentes do acúmulo de massa gordurosa na composição corporal quanto a sobrecarga mecânica sobre os elementos articulares contribuem para o incremento inexorável de problemas que se acumularão no transcorrer da vida, determinando o aumento das multimorbidades, tão frequentes nos longevos, a ponto de serem erroneamente identificadas como "próprias da idade".

Não o são. O fato de serem regra, e não exceção, não as transforma em normais. Mais de 50% dos idosos são hipertensos, mais de 25% são diabéticos e mais de 15% são ambos. Porcentagens semelhantes serão encontradas nas prevalências de osteoporose, depressão, osteoartrite, coronariopatia, entre outras. Nem por isso podemos considerar qualquer uma dessas enfermidades como decorrente da idade.

Fazem parte, isso sim, das consequências da interação entre os determinantes genéticos, os hábitos de vida e as condições ambientais onde esse processo ocorreu.

Em verdade, as alterações inerentes à idade (senescência) não produzem modificações que prejudicam a funcionalidade, mas sim a redução da reserva funcional. Daí a necessidade de programar intervenções que se adéquem a essa condição fisiológica peculiar, seja na necessidade de hidratação, seja na elaboração de um programa de treinamento ou na previsão do impacto de uma forte emoção.

O que realmente produz as limitações funcionais de quem envelhece são suas enfermidades acumuladas no transcorrer da vida (senilidade), por vezes não diagnosticadas. Felizmente estamos identificando, cada vez mais e melhor, os fatores de risco que acentuam e/ou aceleram a manifestação de cada doença, para propor medidas de prevenção primária e secundária que evitem suas consequências maiores.

Por outro lado, na mesma intensidade, buscamos detectar quais fatores de proteção permitem prevenir, minimizar ou postergar as manifestações das doenças, objetivando a "compressão da morbidade", proposta por Fries em 1980, como a melhor maneira de aumentar o tempo de vida sem doenças limitantes (envelhecimento saudável).

Cada um desses fatores, de risco e de proteção, tem sua importância determinada por duas variáveis inerentes a cada um deles:

– O impacto que têm na fisiopatologia de determinada enfermidade: por exemplo, o risco relativo do tabagismo na incidência das neoplasias pulmonares.
– A prevalência com que ocorrem na comunidade estudada: por exemplo, a porcentagem de indivíduos com tabagismo ativo numa população.

Nesse sentido, a prática de atividade física assume importante protagonismo em ambas as variáveis, seja pela progressiva detecção da relevância que tem na fisiopatologia das doenças cardiovasculares, osteoarticulares, metabólicas, oncológicas, neurológicas e psicológicas, seja pela progressiva epidemia do sedentarismo verificada no mundo moderno.

Dados recentes da Organização Mundial da Saúde (OMS) revelam que um em cada quatro adultos no mundo é sedentário, propondo-se a reduzir essa proporção em 15% até 2030.

Essa proposta está perfeitamente alinhada com a determinação da mesma OMS de que estamos na Década do Envelhecimento Saudável (2021-2030), na qual serão implementadas e desenvolvidas as diretrizes Icope (Atenção Integrada para os Idosos) "para atender às necessidades de saúde e demandas das populações que envelhecem rapidamente em todo o mundo".

Estamos, portanto, em um momento crucial na história da humanidade: somos os atores envolvidos na maior transição epidemiológica etária de todos os tempos (1950-2050) e, simultaneamente, temos ferramentas de investigação para detectar o que pode ser nocivo ou protetivo, não apenas para a longevidade, mas também para a funcionalidade de quem tem e terá a maior expectativa de vida média de todos os tempos.

Essas políticas de saúde, além da enorme importância individual e populacional, também têm grande impacto na política de sustentabilidade do sistema. Como exemplo, a mesma OMS calcula em 54 bilhões de dólares anuais o ônus do sistema de saúde americano decorrente da inatividade física.

Nessa avaliação, foram considerados ativos os adultos/idosos que realizam pelo menos 150 minutos de atividade física aeróbia moderada por semana. Isso equivale a trinta minutos em cinco dias ou cinquenta minutos em três dias.

A realização de sessões mais longas e menos frequentes não é recomendada, principalmente na fase inicial do condicionamento físico. Duas sessões semanais de 75 minutos devem ser consideradas seguras apenas para quem já está fisicamente bem preparado, enquanto uma sessão de 150 minutos em único dia deve ser totalmente desaconselhada, a despeito da habilidade de alguns jogadores de tênis, futebol ou outro esporte poderem permanecer na quadra ou em campo para vencerem suas partidas.

Esse critério de quantificação da atividade física adequada, proposto pela OMS, é diferenciado para os adolescentes, para os quais são preconizados pelo menos sessenta minutos diários de atividade física moderada ou intensa. Na realidade atual, uma franca maioria desses jovens não realiza nem sequer o preconizado para adultos/idosos, enquanto acumulam cerca de dez vezes mais tempo imobilizados diante de uma tela.

Insisto em afirmar que considero uma heresia usar a expressão "maratonar uma série". O correto deveria ser "sedentarizar uma série".

Embora isso possa parecer apenas um comentário engraçado, em verdade há que serem constantemente salientados os potenciais prejuízos da substituição de uma atividade que inclua a contração muscular por outra que permita a passividade física. Elas não são equivalentes do ponto de vista da saúde, no meu entender. Portanto, o *e-commerce*, o *netbanking*, as *lives* e outras formas de interação que tornam a locomoção desnecessária devem pressupor uma redução do gasto energético que, se frequente, contribuirá para a obesidade e para a redução da capacidade física, se não forem devidamente compensadas por atividades motoras equivalentes.

Diante dessa grande preocupação com a saúde pública global no curto, médio e longo prazo, mediante a concomitância do envelhecimento populacional aliada ao crescimento exponencial dos custos dos tratamentos das complicações das doenças crônicas, a OMS escolheu a prática das atividades físicas como alvo principal das propostas de saúde para o mundo, por entender que nenhum fator de proteção, na prevenção primária, secundária ou terciária, da perda de capacidade funcional, tem a prevalência encontrada para o sedentarismo em todos os perfis etários.

Para tanto, propôs diretrizes para a redução do sedentarismo apoiadas em quatro ações principais:

1. **Social:** incentivar a mudança de paradigmas em prol de sociedades mais ativas.
2. **Ambiental:** favorecer a criação de ambientes destinados à prática de atividades físicas com conforto e segurança.
3. **Institucional:** promover o desenvolvimento de programas nos diferentes ambientes institucionais de educação, trabalho, lazer etc.
4. **Educativa:** incluir formadores de opinião, lideranças políticas e sociais na promoção e divulgação das propostas de práticas de atividade física como agente promotor da saúde.

Creio que estas considerações permitam subsidiar uma boa discussão sobre as possíveis interações entre a prática de atividade e a longevidade saudável, com a devida liberdade para que todos possam escolher o caminho preferido para atender àquilo que todos querem para si e para os demais: viver muito e bem.

A caminho do término, aproveito a oportunidade para enfatizar que todas as atividades físicas têm seus méritos e riscos inerentes às suas características e que, portanto, devem ser escolhidas e programadas conforme as preferências e possibilidades de cada um, com base nas evidências científicas tanto da reserva funcional do praticante quanto dos riscos e benefícios que as práticas possam fornecer.

Respeitando essas premissas, eu não poderia finalizar este texto sem identificar a prática do remo como uma atividade que une todas as características físicas (ergonômicas, metabólicas, estruturais, funcionais...) às socioemocionais (intergeracional, intergênero, comunitária, integrativa...), cujos efeitos são percebidos desde as primeiras fases do aprendizado até muitas décadas após o término da sua prática.

Culmino repetindo o que sempre afirmei: não existe ex-remador. Quem foi remador será para sempre, esteja remando ou não.

WILSON JACOB FILHO é remador e médico geriatra.

O REMO PARA MIM

Anna Sara Levin

Fui uma criança estudiosa: típica *nerd*, ótima aluna na escola, sempre lendo um livro. Mas também era muito ativa, daquelas que não param quietas. Brincadeiras físicas, bicicleta, jogos e até esportes.

A vida passa por fases. Quando estava na escola e na faculdade, participei de times de basquete.

Depois, com filhas pequenas, havia o difícil equilíbrio entre trabalho e família e sobrava pouco tempo para cuidar melhor de mim e para fazer atividade física regular.

Depois dos anos iniciais, voltei a ter mais tempo para mim e aí surgiu o problema. Adoro atividade física, mas não há muita oportunidade de jogar basquete quando se é mais velha. Então fiz o que tantos fazem. Matriculada na academia, achei o ambiente muito interessante, com pessoas querendo chamar a atenção, roupas chamativas, corpos perfeitos, uma verdadeira revelação sobre os seres humanos e suas vaidades. Mas havia pessoas como eu, mais pacatas e interessadas na atividade física como promotora da saúde. Após algum tempo, comecei a me entediar. Sempre a mesma coisa, os mesmos aparelhos, as mesmas atividades, e tudo isso em um ambiente fechado. Em dias lindos, o sol brilhando lá fora e eu ali dentro malhando!

Foi aí que pensei: por que não remar? É uma atividade ao ar livre. Eu me lembrava dos moços fortes da minha juventude treinando remo às 5 horas da manhã na Raia da USP. Bom, a madrugada não funcionaria para mim, que sou dorminhoca, mas fui investigar. E com isso me matriculei em um curso de iniciantes de remo da USP. À tarde!

Foi uma revelação. Eu, com cinquenta anos, professora, encontrei um grupo animado de todas as idades e histórias de vida, orientado por um professor competente e comprometido.

Todos iniciando naquele esporte tão difícil. Realmente, era o desafio que eu procurava. Aprender a remar é difícil, especialmente quando se começa tarde como eu, mas tão interessante, porque sempre temos como melhorar. Foi um amor descoberto! E não parei mais...

Quando eu chego à Raia da USP, parece que saí da minha vida cotidiana. Tem a água, as árvores, a fauna (sim, temos capivaras entre pássaros). Parece que saí da cidade cinza, corrida e barulhenta e caí no campo. Meu cansaço, meus problemas, meus dias difíceis são esquecidos na Raia. Desaparecem na água...

O remo é um esporte para todos, mas considero especialmente bom para nós, os mais velhos. Utiliza todo o corpo: os braços, os músculos abdominais e dorsais, e principalmente as pernas. Além disso, ao contrário de outras atividades, como a corrida, é uma atividade de baixo impacto, o que reduz o risco de lesões em nós, velhinhos. Como efeitos colaterais, vêm uma excelente forma física e um sono tranquilo.

Existe a oportunidade de remar recreativamente, com uma grande diversidade de pessoas, pois é um esporte democrático, e, ao contrário do que muitos acham, o remo é um esporte coletivo. Há barcos para duas, quatro ou oito pessoas e é necessário muito empenho e concentração para coordenar os remadores a fazerem o barco andar bem. É um exercício de cooperação e trabalho em grupo que oferece uma sensação de satisfação coletiva e cumplicidade quando atingido. Essa característica é muito importante para a melhora da qualidade de vida.

Há também a oportunidade de remar competitivamente, o que comecei a fazer há alguns anos. Eu pensava que competir era para os jovens atletas em busca da vaga olímpica. No entanto, há uma pujante cena competitiva "master" (leia-se como "velhos"). Há campeonatos brasileiros, sul-americanos e mundiais. Isso motiva as pessoas a treinarem e melhorarem o seu desempenho, além de propiciar viagens a lugares interessantes e convivência com pessoas diferentes.

Agora, quinze anos depois, espero poder continuar a remar por muito, muito tempo.

Está feita a propaganda? Quem me lê aqui se animou? Não perca tempo! Reme!

ANNA SARA LEVIN é remadora, professora titular da Faculdade de Medicina da Universidade de São Paulo (FMUSP) e doutora em Doenças Infecciosas e Parasitárias pela mesma instituição. Publicou mais de 190 artigos em periódicos especializados.

ADOLESCÊNCIA: O QUE ACONTECE NESSE MOMENTO?

Clovis Artur Almeida da Silva

A adolescência é uma fase de transição, caracterizada por um processo de crescimento e desenvolvimento, com modificações físicas, culturais, psicológicas e sociais. A Organização Mundial da Saúde (OMS) limita a faixa etária da adolescência entre dez e dezenove anos de idade, estimando-se que 16% da população do Brasil esteja nessa população. No entanto, o Estatuto da Criança e do Adolescente (ECA) define adolescente como a pessoa entre doze e dezoito anos.

Recentemente, a idade máxima do adolescente tem sido ampliada em diversos centros de saúde e em alguns países. De fato, a adolescência é o segundo período de desenvolvimento cerebral, com aumento da neuroplasticidade, sendo considerada um período sensível para áreas do desenvolvimento, como memória, efeitos do estresse social e do uso de drogas. As maturações estruturais e funcionais do cérebro ocorrem desde a adolescência até o início da idade adulta. Essa maturação acontece em decorrência da poda sináptica, da mielinização e de alterações neuroquímicas no cérebro.

A conectividade cerebral associada ao processamento socioemocional ainda é imatura em adolescentes em comparação com adultos. Um período prolongado de afinamento da massa cinzenta do córtex pré-frontal também continua ao longo da terceira década de vida.

Assim, a Academia Americana de Pediatria (AAP) define adolescente até os 21 anos, e o Instituto de Medicina e o Conselho Nacional de Pesquisa dos Estados Unidos da América ampliaram a faixa etária até os 26 anos de idade.

Nesse relevante momento, os adolescentes tornam-se gradativamente mais independentes, ganhando autonomia dos pais, criando vínculos com os amigos e iniciando interesses amorosos. Também assumem ações de adultos, com direitos e responsabilidades, assim como ocorre o desenvolvimento de competências profissionais e vocacionais.

Outro aspecto importante é reconhecer as três fases na adolescência. Esses três períodos dinâmicos são caracterizados de acordo com os desenvolvimentos biológico (crescimento do corpo físico), cognitivo (processo de aprendizado) e psicossocial (convívio social): fases inicial, intermediária e tardia. O entendimento de cada uma dessas três fases pelos familiares, professores e profissionais de saúde é fundamental na assistência integral à saúde do adolescente e jovem saudáveis, assim como naqueles com alguma condição crônica.

A fase inicial da adolescência (faixa etária entre dez e treze anos) é caracterizada pelo rápido crescimento da estatura e desenvolvimento dos marcos da puberdade [crescimento dos pelos (conhecido como pubarca), mamas (telarca) e órgãos genitais (gonadarca), podendo também ocorrer nesse período a primeira menstruação (menarca) e a primeira ejaculação consciente (espermarca)]. Com relação às identidades e sexualidades, ocorre preocupação aumentada com o corpo e a aparência, interesse na anatomia sexual e possibilidade do início da masturbação. Na avaliação cognitiva, começam a estabelecer as operações concretas, e na relação familiar há necessidade progressiva de privacidade. Nessa fase, as relações do adolescente ocorrem preferencialmente com amigos e colegas do mesmo sexo.

A fase intermediária da adolescência (faixa etária entre catorze e dezessete anos) já é caracterizada pelo crescimento importante dos órgãos e sistemas corporais, estabelecimento da capacidade reprodutiva (capacidade de gerar filhos) e muitas vezes do início da atividade sexual.

Um aspecto importante é que nesse período há um aumento das situações de vulnerabilidade a comportamentos de risco (situação de fragilidade), a que devem estar atentos os adolescentes, pais e responsáveis. Dentre elas, destacam-se: infecções sexualmente transmissíveis, gravidez, experimentação de drogas lícitas (como álcool, tabaco e cigarro eletrônico) e ilícitas (como maconha, cocaína, opioides — morfina, codeína, fentanil —, *crack*, heroína, *ecstasy*, inalantes, barbitúricos, anfetaminas etc.). Nas relações familiares há um nítido aumento da separação dos pais e envolvimento intenso nos grupos e comunidades de adolescentes. Nesse período, as relações do adolescente ocorrem preferencialmente com amigos e colegas de ambos os sexos.

A fase tardia da adolescência (faixa etária entre dezoito e dezenove anos e onze meses) é caracterizada pelo desenvolvimento neurológico, com amadurecimento cerebral da substância branca (córtex pré-frontal) e consolidações da identidade e orientação sexual. Nesse período há melhora da vulnerabilidade aos riscos, restabelecimento das relações com os pais e um nítido aumento da autonomia. Nessa fase, também usualmente ocorre a escolha profissional.

A adolescência é habitualmente um momento de vida saudável. Entretanto, alguns fatores de risco podem afetar a saúde dos jovens, como uso excessivo de celular e mídias eletrônicas (interferindo no sono e no rendimento escolar), exposição aos acidentes e jogos em decorrência do comportamento contestador, doenças psiquiátricas (ansiedade, depressão, automutilação e ideação suicida), gravidez não planejada, infecções sexualmente transmissíveis, uso abusivo de álcool e drogas, qualquer situação de violência, uso de armas, entre outras. O caráter previsível de algumas dessas situações nesse momento de vida dos jovens reforça a necessidade de integrar as ações preventivas na família, na escola e nos cuidados dos profissionais de saúde, como o hebiatra (médico do adolescente).

Por fim, há alguns aspectos educativos e preventivos para os adolescentes que são importantes nesse momento de vida. Dentre eles, ressaltam-se:

– Estímulo constante à atividade física semanal, evitando sempre o sedentarismo.
– Participação constante e ativa dos pais na vida dos jovens, com tempo livre para os filhos.
– Hábitos alimentares saudáveis, com refeições preferencialmente à mesa. Destacam-se o uso frequente de frutas, legumes e verduras, e hidratação adequada, assim como redução do consumo de ultraprocessados e sal.
– Controle do tempo total de tela e das mídias eletrônicas. Sugere-se sempre intercalar o uso de celulares, televisão e outras mídias eletrônicas, otimizando com estímulo as atividades de lazer (leitura, música, dança etc.), atividades religiosas, atividades na comunidade (grupo de jovens), estímulo ao contato com a natureza (praças, parques, chácaras, fazendas, praias etc.) e animais.

– Saúde emocional equilibrada, com promoção de resiliência (suportar frustações), e diagnóstico precoce dos transtornos mentais.

– Sono reparador, com tempo ideal entre 8 e 10 horas/dia. Esse período otimiza bem-estar, desenvolvimento cognitivo e aprendizagem do adolescente.

– Hábitos adequados de higiene pessoal e de saúde bucal, como banho diário, lavagem frequente de mãos e escovação dos dentes após as refeições.

– Monitoramento rigoroso do uso de drogas, tabaco, cigarro eletrônico e álcool. Pais que não fumam nem bebem são um importante fator preventivo e educativo. Além disso, o uso de álcool deve ser iniciado preferencialmente após os 21 anos, pois o cérebro está mais desenvolvido e o jovem reconhece melhor os riscos.

– Estímulo à amizade construtiva com pares, como melhor amigo, namorado, colega do futebol ou dança etc.

– Prevenção, orientação e apoio a qualquer tipo de violência psíquica ou emocional, física, sexual, *bullying* ou *cyberbullying* (forma virtual do *bullying* por usar a internet ou qualquer mídia eletrônica).

– Respeito e acolhimento às diferentes identidades e orientações sexuais no grupo LGBTQIA+. A comunidade LGBTQIA+ abrange lésbicas, gays, bissexuais, transexuais, queer, intersexuais e assexuais, e o símbolo "+" envolve as demais orientações sexuais e de gênero.

– Orientação de contracepção para todos os adolescentes, prevenção de infecções sexualmente transmissíveis e de gravidez precoce.

– Relação positiva com um mentor ou tutor, que pode ser um parente (como tio, vizinho), professor, técnico ou mesmo profissional de saúde.
– Uso de cinto de segurança no trânsito, assim como capacete para ciclistas e motociclistas.
– O adolescente a partir de catorze anos pode trabalhar como jovem aprendiz, com chance de conseguir uma formação técnico-profissional, assumindo progressivamente responsabilidades e ganhando novas experiências.
– Atualização da carteira vacinal.
– Identificação e tratamento de agravos, condições, doenças agudas e crônicas prevalentes.

CLOVIS ARTUR ALMEIDA DA SILVA é professor titular do Departamento de Pediatria da Faculdade de Medicina da Universidade de São Paulo (FMUSP) e chefe do Departamento de Pediatria da FMUSP. Responsável técnico-científico das Unidades de Adolescente e Reumatologia Pediátrica do Instituto da Criança e do Adolescente do Hospital das Clínicas da Faculdade de Medicina da Universidade de São Paulo (ICr-HCFMUSP).

ATIVIDADE FÍSICA E EXERCÍCIOS DE MOTIVAÇÃO PROVOCAM UMA VERDADEIRA TRANSFORMAÇÃO CEREBRAL

Fernando Campos Gomes Pinto

Que a atividade física faz bem todo mundo sabe, mas o que pouca gente imagina é que combinar motivação com exercício físico aumenta ainda mais o resultado em todas as tarefas que são executadas durante um dia todo, as mais diversas possíveis.

A simples estratégia de sair do sedentarismo, por exemplo, potencializa as estruturas da massa cinzenta que ajudam a manter o foco em atividades mentais por horas. É uma verdadeira transformação cerebral. Isso porque há uma série de substâncias no cérebro, incluindo neurotransmissores como a serotonina e hormônios que afetam o bem-estar emocional. Essa química, na quantidade certa, pode influenciar o nível de concentração, memória, produtividade, empenho e dedicação do indivíduo.

Quando acontece a prática prolongada de exercício físico, acontece a liberação de endorfina. Essa substância é capaz de produzir bem-estar físico e psicológico, atuando diretamente no cérebro, modulando a percepção de desconforto e aumentando a capacidade de concentração e atenção.

Investir um tempo em treinos, sejam eles quais forem, é uma estratégia muito inteligente, já que, além de prevenir doenças com a prática esportiva, existe o aumento da performance intelectual e da capacidade de trabalho.

Atualmente há diversas evidências que mostram a relação direta entre o esforço corporal e o cognitivo, e vão ao encontro da conexão entre corpo e mente. Para se ter o melhor controle cognitivo possível, é necessário manter o cérebro saudável e livre de sobrecargas para que a mente fique turbinada.

Também é possível — e necessário — exercitar o cérebro, mas, como ele não é um músculo, a malhação ali acontece com o que demanda alta concentração, como em atividades cujos treinos aprimoram a memória corporal-cinestésica e o pensamento estratégico, por exemplo, remar, praticar judô, jogar xadrez ou ler. Essa é mais uma forma de manter o bom funcionamento cerebral.

O esporte promove benefícios no incremento das conexões cerebrais. A prática regular de atividade esportiva melhora a função cognitiva, já que o exercício físico estimula o fluxo sanguíneo para o cérebro, aumentando o fornecimento de oxigênio e nutrientes. Isso pode melhorar a função cognitiva, incluindo a memória, a atenção e o raciocínio. Pode ainda surtir efeito na redução do estresse e da ansiedade, além de aumentar a plasticidade cerebral — que é a capacidade do cérebro de se adaptar e mudar ao longo do tempo. Isso é importante para o aprendizado e a adaptação a novas situações, já que estimula a formação de novas sinapses e o desenvolvimento de novos neurônios no hipocampo, uma área do cérebro envolvida na memória e no aprendizado.

A prática esportiva regular demanda foco e coordenação, por isso, pelo estímulo contínuo cerebral, ajuda a desenvolver habilidades cognitivas como a concentração e a coordenação psicomotora.

E, por fim, mas não menos importante, a atividade física faz bem ao emocional, já que reduz o risco de depressão e outros transtornos mentais e pode ser usada como parte do tratamento de transtornos como a depressão e a ansiedade e ainda aumenta a autoestima e a confiança, principalmente em atividades que envolvam treinos coletivos.

Até para os que sofrem com insônia a atividade física melhora a qualidade do sono, que pode ser mais profundo e restaurador — parte fundamental para manter a função cerebral adequada.

É importante notar que diferentes esportes e níveis de atividade física podem ter diferentes impactos no cérebro. Além disso, a idade, a saúde geral e outros fatores individuais também desempenham um papel importante nos efeitos do esporte nas conexões cerebrais.

Portanto, incorporar a atividade física regular em sua vida pode ser benéfico não apenas para sua saúde física, mas também para sua saúde cerebral e mental.

Mas consulte sempre um profissional de saúde antes de iniciar qualquer programa de exercícios, especialmente se você tiver preocupações específicas relacionadas à sua saúde cerebral.

Bons treinos!

FERNANDO CAMPOS GOMES PINTO é médico neurologista, professor livre-docente de Neurocirurgia pela Faculdade de Medicina da Universidade de São Paulo (FMUSP), chefe do Grupo de Hidrodinâmica Cerebral do HC-FMUSP e judoca do Clube Círculo Militar de São Paulo.

DEEP LEARNING – A INTELIGÊNCIA ARTIFICIAL NA SAÚDE

Giovanni Cerri

É difícil calcular o quanto a tecnologia digital vem transformando a medicina. Desde que ferramentas como a inteligência artificial (IA) deixaram de ser assunto das obras de ficção científica para se integrarem ao nosso cotidiano, as possibilidades de aprimoramento técnico na área da saúde se tornaram quase infinitas.

Uma das facetas dessa revolução tecnológica derivada da inteligência artificial é o chamado *deep learning*. Essa tal "aprendizagem profunda" é uma modalidade de *machine learning*, isto é, de aplicação que permite que um computador adquira certas habilidades sozinho, sem que um programador precise treiná-lo.

Por meio de uma rede neural artificial, a máquina tem a capacidade de analisar extensos conjuntos de dados, identificando padrões ou aprendendo a executar tarefas específicas.

Pense, por exemplo, naqueles filtros tão populares nas redes sociais, que inserem sobre o rosto desenhos, mensagens e animações, ou que até mesmo alteram a fisionomia do usuário para "embelezá-lo". Essa brincadeira só é possível porque o sistema que a executa estudou milhões de rostos humanos e hoje é capaz de identificar os elementos básicos de qualquer face — embora sejamos todos diferentes uns dos outros.

O cerne do *deep learning* é justamente essa quantidade gigantesca de dados — ou, no jargão tecnológico, Big Data — que uma equipe humana jamais seria capaz de escrutinar. Por meio de algoritmos, o computador assimila esses dados e, a partir deles, aprende a identificar sons, imagens, a fazer previsões ou até a "conversar".

É claro que uma tecnologia tão poderosa e promissora não ficaria restrita às brincadeiras das redes sociais. Na área da saúde, evidências recentes têm confirmado o potencial do *deep learning*, especialmente quando aplicado à radiologia e à análise de exames de imagem.

Um exemplo disso é o trabalho pioneiro realizado na Universidade Emory, nos Estados Unidos, que utilizou um modelo de *deep learning* para prever risco de diabetes a partir de simples radiografias de tórax.

No estudo que descreve o modelo, os pesquisadores destacaram que a capacidade de identificar os primeiros sinais da doença pode ter impactos positivos substanciais no tratamento, especialmente diante do aumento drástico nos diagnósticos de diabetes nas últimas décadas nos Estados Unidos.

Há uma correlação já apontada em outras pesquisas entre a gordura visceral no abdome e na parte superior do tronco e quadros de hipertensão, resistência à insulina e diabetes tipo 2. O sistema desenvolvido pelos pesquisadores estudou radiografias de 160 mil pacientes para identificar esse tipo de gordura e, a partir da análise dessas imagens, calcular o risco de diabetes com até três anos de antecedência.

A grande vantagem aqui é o fato de que esses pacientes não atendiam às diretrizes de risco elevado. Ou seja, eles realizaram suas radiografias de tórax por quaisquer outros motivos e, com base nos critérios "tradicionais" de previsão, muitos deles não seriam encaminhados para um acompanhamento de diabetes até que a doença se manifestasse.

Aqui fica claro o potencial do *deep learning* no campo da saúde preventiva, sobretudo quando consideramos seu impacto no desenho de políticas públicas.

O Brasil também tem iniciativas importantes nesse sentido. Há três anos, o Instituto de Radiologia do Hospital das Clínicas, vinculado ao Hospital das Clínicas da Faculdade de Medicina da Universidade de São Paulo (InRad-HCFMUSP), em parceria com a Siemens Healthineers, criou o In.Lab, centro de pesquisa, desenvolvimento e inovação em inteligência artificial aplicada à saúde.

O espaço é destinado a parceiros, *startups* e pesquisadores que desenvolvem projetos de inteligência artificial (IA) voltados às melhorias e soluções das diferentes etapas da jornada do paciente e da cadeia da saúde. Entre as principais frentes estão prevenção, diagnóstico e tratamento e gestão, que têm como objetivo otimizar o serviço de saúde como um todo.

Com o maior *data lake* em saúde do Brasil e uma estrutura com informações e imagens médicas que pode acelerar as pesquisas, mudar o ensino da medicina e promover o ecossistema de inovação em saúde, o In.Lab já desenvolveu 45 projetos nesses três anos.

Aqui, destaco um dos projetos desenvolvidos no In.Lab: o HepatIA, que, assim como o sistema desenvolvido pela Universidade Emory, se mostra promissor como ferramenta de medicina preventiva, justamente por sua capacidade de identificar sinais de enfermidade no fígado em pacientes saudáveis e fora dos grupos de risco.

O sistema "aprendeu" a partir de tomografias de pacientes com cirrose por hepatite, câncer e pessoas saudáveis. Com isso, hoje ele é capaz de fazer triagens com até 94% de acurácia. Como sempre, vale ressaltar que esse tipo de tecnologia não substitui o olhar treinado do profissional de saúde, mas permite estabelecer prioridades e melhorar o fluxo de trabalho, sobretudo nos hospitais públicos, que processam muitos exames diariamente.

Por fim, haja vista que a tomografia revela também a massa muscular do paciente, o HepatIA se mostrou promissor na identificação de perda dessa massa (sarcopenia), o que, embora não seja avaliado rotineiramente na maioria dos casos, pode ser um fator decisivo no tratamento de pacientes oncológicos. Anomalias apontadas pelo HepatIA podem resultar, por exemplo, na recomendação de um acompanhamento nutricional.

Vale ressaltar a importância do trabalho integrado entre os setores privado e público no desenvolvimento dessas ferramentas. Do primeiro emanam as principais inovações no campo da tecnologia digital; já o segundo tem a estrutura e a capilaridade necessárias para democratizar essas inovações.

O HepaIA, fruto de uma parceria entre Hospital das Clínicas, por meio de seu núcleo de inovação tecnológica, Fundação de Amparo à Pesquisa do Estado de São Paulo (Fapesp) e a *startup* Machiron, é um bom exemplo de como, no caso de aplicações revolucionárias como o *deep learning*, essa sincronicidade pode gerar frutos e contribuir para que os brasileiros usufruam de um sistema de saúde melhor.

GIOVANNI GUIDO CERRI é professor titular de Radiologia da Faculdade de Medicina da Universidade de São Paulo (FMUSP), presidente dos Conselhos dos Institutos de Radiologia (InRad) e de Inovação (InovaHC), do Hospital das Clínicas da FMUSP, e membro titular e da diretoria da Academia Nacional de Medicina e da Academia Paulista de Medicina. Formado pela FMUSP em 1976, fez doutorado e livre-docência na mesma instituição. Foi secretário de estado de Saúde de São Paulo entre 2011 e 2013.

REMAMA – AS REMADORAS ROSAS

Patricia Chakur Brum

*"Minhas ideias abstratas,
De tanto as tocar, tornaram-se
concretas:
São rosas familiares
Que o tempo traz ao alcance da
mão,
Rosas que assistem à
inauguração de eras novas
No meu pensamento,
No pensamento do mundo em
mim e nos outros:
De eras novas, mas ainda assim
Que o tempo conheceu, conhece e
conhecerá.
Rosas! Rosas!
Quem me dera que houvesse
Rosas abstratas para mim."*
Murilo Mendes[5]

Como sou grata à Universidade de São Paulo! Quando iniciei minha formação, não imaginava a grandeza da USP. Ávida pela formação científica no nosso país e no exterior, iniciei minha pós-graduação na área de Fisiologia do Exercício, na qual me dediquei à ciência básica, entre pipetas e livros, ensaios enzimáticos e cirurgias. Assim desenvolvi potencialidades imprescin-

---

[5] MENDES, Murilo. Poesia completa e prosa, 1994. In: *Poesia liberdade* [1944-5]. p. 434.

díveis como o pensamento crítico, a persistência e a resiliência. Aprendi a fazer perguntas relevantes e a trabalhar em projetos que contribuíssem para a ciência do exercício e para dar sustentação à adoção da atividade física/exercício como tratamento complementar de doenças crônicas como as cardiovasculares e, nos últimos sete anos, as oncológicas.

E, assim, passei bons anos da minha vida entre a bancada do laboratório e a sala de aula/congressos com minha dedicação voltada à formação tanto de alunos de graduação, para contribuir com sua vida profissional, como de pós-graduação, para formar com qualidade pesquisadores e professores. Me orgulho muito de todos. No entanto, sentia um vazio... e refletia... o que mais posso fazer? Como contribuir para mudar a vida das pessoas à qual minha ciência se dedica: cardiopatas e pacientes oncológicos?

E o que parecia abstrato chegou ao alcance das minhas mãos por estar na USP. O tempo e a experiência me despertaram um olhar para a comunidade diferenciada de pessoas que frequentam e participam de atividades e programas maravilhosos. E foi assim que, na Raia da USP, conheci o programa inspirador do Instituto Remo Meu Rumo, que alegra e embeleza as águas da Raia com remadores que nos motivam pelo olhar, pelo sorriso e pelos benefícios visíveis para a saúde física e mental, além da autoestima. Sim, o remo e a canoagem mudam o "rumo" das pessoas, crianças e adultos, e também mudou o meu "rumo".

Por um dos meus orientados de doutorado, fui apresentada à Raia e à canoagem e me apaixonei por aquele pedacinho de céu em meio à selva de pedra que é a cidade de São Paulo. Iniciei na canoagem com o grande professor Christian e fui instigada a experimentar o remo. E hoje a Raia da USP faz parte da minha vida.

Sou remadora da equipe de remo master da USP, liderada pelo Marcos Ito, e a represento em diferentes campeonatos nacionais e internacionais. Foi lá que meu rumo encontrou o Remama (Programa de Reabilitação Pós-Câncer de Mama) e conheci minhas remadoras rosas.

Um certo dia em 2017, saindo do meu *skiff*, o professor Farah me abordou e perguntou: "Patricia, você, que é pesquisadora na área de oncologia, por que não agrega pesquisa a esse programa? Venha conhecer as remadoras do Remama Dragão Rosa. São mulheres que tiveram câncer de mama que remam na nossa Raia". Minha resposta: "Será, Farah? Trabalho na bancada...". Depois refleti... "É isso, por que não?".

Iniciou-se a inauguração de eras novas no meu pensamento. E a USP nos proporciona isso.

Conheci a Dra. Christina May Moran de Brito, fundadora do Remama, em 2013. Logo vi que havia conhecido uma pessoa incrível, que hoje considero amiga. Iniciamos a pesquisa no Remama, contribuímos com a formação de alunos de graduação que ajudam e se capacitam nas aulas de barco dragão com nossas remadoras, temos alunos de mestrado, doutorado e pós-doutorado fazendo pesquisa junto ao Remama.

Propusemos o Remama On na pandemia (condicionamento físico *online*) para manter o condicionamento físico das nossas remadoras, hoje conhecido como ONcoFITT, e tentamos manter as mulheres ativas na Raia e fora dela.

Hoje o programa envolve o Instituto do Câncer do Estado de São Paulo, o Icesp (liderado pela Dra. Christina Brito), a Raia--CEPEUSP (coordenado por José Carlos S. Farah) e a Escola de Educação Física e Esporte da USP, sob minha coordenação. O Remama só nos tem trazido alegrias, e tenho aprendido diariamente com os alunos e pesquisadores do meu grupo (Aline Gurgel, Jean Coelho, Raphael Ferreira, Luiz Riani, Sarah Leandrini, Jule Amaral) e meus parceiros (Christina, Farah e Christian). Gratidão.

Temos publicações científicas e resumos em congresso. Conquistamos juntos o selo da Secretaria Municipal de Direitos Humanos e Cidadania de São Paulo em 2020[6]. A conquista desse selo reflete a contribuição do projeto para a boa prática de promoção dos direitos humanos de inclusão e diversidade e ilustra o impacto da canoagem como prática inovadora para que as remadoras vivam com dignidade, melhorem sua qualidade de vida e exerçam sua cidadania.

Em 2023, fomos finalistas para o prêmio Mulheres Inspiradoras Universa/UOL e Instituto Avon, na categoria Atenção ao Câncer de Mama.

Por fim, posso afirmar que a Raia mudou o meu rumo e o Instituto Remo Meu Rumo muito me inspirou e ensinou pelo exemplo. Parabéns ao Remo Meu Rumo pelos dez anos maravilhosos de conquistas favorecendo a sociedade. Vocês dão exemplo de como o exercício transforma a vida de crianças e adultos, pais e mães, famílias. Congratulo o Instituto e ofereço "rosas, rosas concretas".

PATRICIA CHAKUR BRUM é professora titular em Fisiologia do Exercício da Escola de Educação Física e Esporte da Universidade de São Paulo (EEFE-USP) e do Instituto de Ciências Biomédicas da Universidade de São Paulo (ICB-USP).

---

6 UNIVERSIDADE DE SÃO PAULO. Escola de Educação Física e Esporte (EEFE). Projeto Remama recebe Selo de Direitos Humanos e Diversidade. 25 fev. 2021. Disponível em: http://www.eefe.usp.br/destaque-eefe/projeto-remama-recebe--selo-de-direitos-humanos-e-diversidade. Acesso em: 8 jan. 2024.

PREVENÇÃO DE ACIDENTES E EMERGÊNCIAS

Bruno Modesto

Meu nome é Bruno Modesto e minha formação como bacharel em Esporte em 2009 pela Escola de Educação Física e Esporte da Universidade de São Paulo (EEFE-USP) já demonstra uma paixão antiga pelo esporte. Acredito no poder de transformação que o esporte proporciona, desde o nível pessoal, em todos os seus aspectos, até o social.

Ao final da graduação, tive contato com a Raia Olímpica da USP, um lugar de beleza natural exuberante e que despertou um interesse genuíno nos esportes aquáticos como o remo e a canoagem. Essa oportunidade me levou a realizar uma disciplina optativa denominada Remo ao longo de um semestre, e a experiência não poderia ter sido melhor. Sob orientação, aprendi a remar na Raia Olímpica e a experienciar momentos únicos. Passei a admirar o nível de desafio técnico, destreza e possibilidade de desenvolvimento que essa modalidade de esporte proporciona. O remo trabalha diversos componentes da aptidão física, força mental e principalmente união da natureza com o indivíduo.

Mais adiante, ampliei minha formação acadêmica com o mestrado em Ciências pela EEFE-USP e mais recentemente com o doutorado em andamento. Tal qual minha paixão pelo esporte é a paixão pelo ensino, em especial da área de primeiros socorros. Certificado pela Associação Americana de Cardiologia como instrutor de Primeiros Socorros e Suporte Básico de Vida há mais de quinze anos, ministro cursos no Instituto do Coração do HCFMUSP e mais recentemente no Hospital Israelita Albert Einstein, em São Paulo. Como educador da EEFE-USP, atuo como professor convidado na disciplina de Socorros de Urgência e coordeno o curso de Ressuscitação da Parada Cardíaca — Atendimento à Parada Cardíaca desde 2010.

Junto com a experiência de atendimento extra-hospitalar atuando em uma equipe de atendimento médico de emergência, percebi a necessidade e a importância de disseminar esse conhecimento de forma prática. Encaro como um desafio, uma missão, ensinar pessoas de todas as idades, desde crianças, alunos de graduação, leigos e profissionais de saúde, a lidarem com situações de emergência potencialmente fatais. E compartilho esse conhecimento ministrando aulas, cursos e palestras.

Em 2018, tive a oportunidade de voltar à Raia Olímpica e ter contato com o Instituto Remo Meu Rumo e com o grande (literalmente) Sr. Ricardo Marcondes Macéa. Em uma conversa inicial, em tom mais sério, pude perceber a preocupação e o zelo que o Ricardo tinha com o projeto. Voltar à Raia Olímpica da USP e descobrir um trabalho único, feito com amor, profissionalismo e dedicação a crianças e adolescentes com deficiência que passam por tratamento clínico e se desenvolvem por meio do remo e da canoagem, foi um imenso prazer. A conversa se estendeu por mais algum tempo e tive o convite do Ricardo (agora já mais próximos) para ministrar uma oficina de Primeiros Socorros e Suporte Básico de Vida para sua equipe, composta de professores e estagiários.

O convite foi aceito de prontidão! No Projeto já existia uma preocupação e cuidado anterior com a segurança das crianças e de todos que ali estavam. A ideia era aprimorar o que já era bom e sistematizar um fluxo de emergência, bem como capacitar toda a equipe. Ali começou uma parceria que dura até os dias de hoje. Elaboramos um treinamento que abordasse as diversas emergências clínicas e traumáticas que pudessem acometer as crianças e jovens durante a prática das atividades de remo e canoagem. Destaco aqui que esse cuidado preventivo é de fundamental importância, pois visa evitar situações graves que podem acontecer, em especial durante a prática de exercícios físicos. Alguns exemplos dessas situações são treinamento em remoergômetros, esteiras e outros equipamentos que existem no espaço do projeto, bem como potenciais situações de risco na água. Não posso deixar de destacar e reconhecer o trabalho e a seriedade que os professores e o gestor Ricardo têm com a segurança e o preparo de toda a equipe.

De início, desenvolvemos treinamentos focados em primeiros socorros, que são os cuidados imediatos prestados a alguém doente ou ferido até que outra pessoa com conhecimento mais avançado chegue à cena de emergência. Esses cuidados iniciais podem ser prestados por qualquer pessoa, desde que tenha treinamento adequado, segurança e saiba atuar de maneira eficaz de forma a evitar agravamentos, levar à recuperação parcial ou total da vítima, e ainda podem ser a diferença entre a vida e a morte.

Ao longo dos anos, pudemos construir juntos uma cultura de prevenção de acidentes e emergências. Atualmente o espaço do Instituto conta com o DEA, desfibrilador externo automático de última geração, prancha de atendimento, diversos *kits* de primeiros socorros, *banners* e fôlderes instrutivos e educativos.

Criamos um conteúdo personalizado para situações que, de acordo com a literatura científica, são mais frequentes durante a prática esportiva, em especial no remo e na canoagem. Realizamos treinamentos frequentes com conteúdo teórico e prático de forma dinâmica para o atendimento de situações como desmaios, convulsões, hipoglicemia severa, fraturas, lesões de tecido mole, entre outras, e aquelas potencialmente fatais, como infarto, acidente vascular cerebral (AVC) e o engasgo.

Além disso, focamos no atendimento de uma situação de extrema gravidade, a parada cardiorrespiratória. Utilizamos manequins de simulação realística de última geração, bem como o aparelho de choque (DEA), ambos específicos para treinamentos. O propósito foi tornar o projeto, e consequentemente a Raia Olímpica, um local que preza pela segurança e pelo bem-estar de seus alunos e equipe.

Quero agradecer pela oportunidade de contribuir com um projeto que cuida do próximo com tamanho zelo. Desde o primeiro contato com o Remo Meu Rumo, me apaixonei pelo trabalho que é realizado, e ao longo dos últimos anos tenho a satisfação de colaborar e somar esforços para evitar situações de risco e/ou potencialmente graves. Tenho certeza de que, se necessário, a equipe pode atuar de forma segura e competente. Contem comigo sempre!

Parabéns pela trajetória do projeto e parabéns a todos os profissionais que atuam nas suas diversas áreas de forma integrada visando ao acesso, inclusão e promoção do desenvolvimento físico, psíquico e social de crianças e adolescentes com deficiência.

Mara Gabrilli, psicóloga, publicitária e política. Uma bandeira da luta da Pessoa com deficiência no Brasil e no mundo.

Professora Daniela Alvarez, multicampeã de canoagem,
treinadora da seleção brasileira e educadora do IRMR.

Três fours do IRMR e nosso trabalho de
inclusão social pelos valores do esporte.

Professor Cesar Moreira, especialista em remo adaptado,
educador do IRMR e integrante da seleção brasileira.

As braçadeiras e forquetas de uma garagem de remo.

Estagiário de educação física Kayky na proa
do four, encostando no pontão, e alunos.

Foto: Antonio Cardoso

A vibrante e empolgante prática do remo na raia da USP.

Fisioterapeuta Fernanda Gomes, ex-voluntária e pilar
do nosso trabalho social e inclusivo.

Nicolly, que iniciou no IRMR e atualmente é atleta de rendimento de esgrima no CPB.

Pás IRMR de nossos barcos de Remo.

Foto: Bia Morra

Four timoneado pelo estagiário de fisioterapia Maik Freitas.

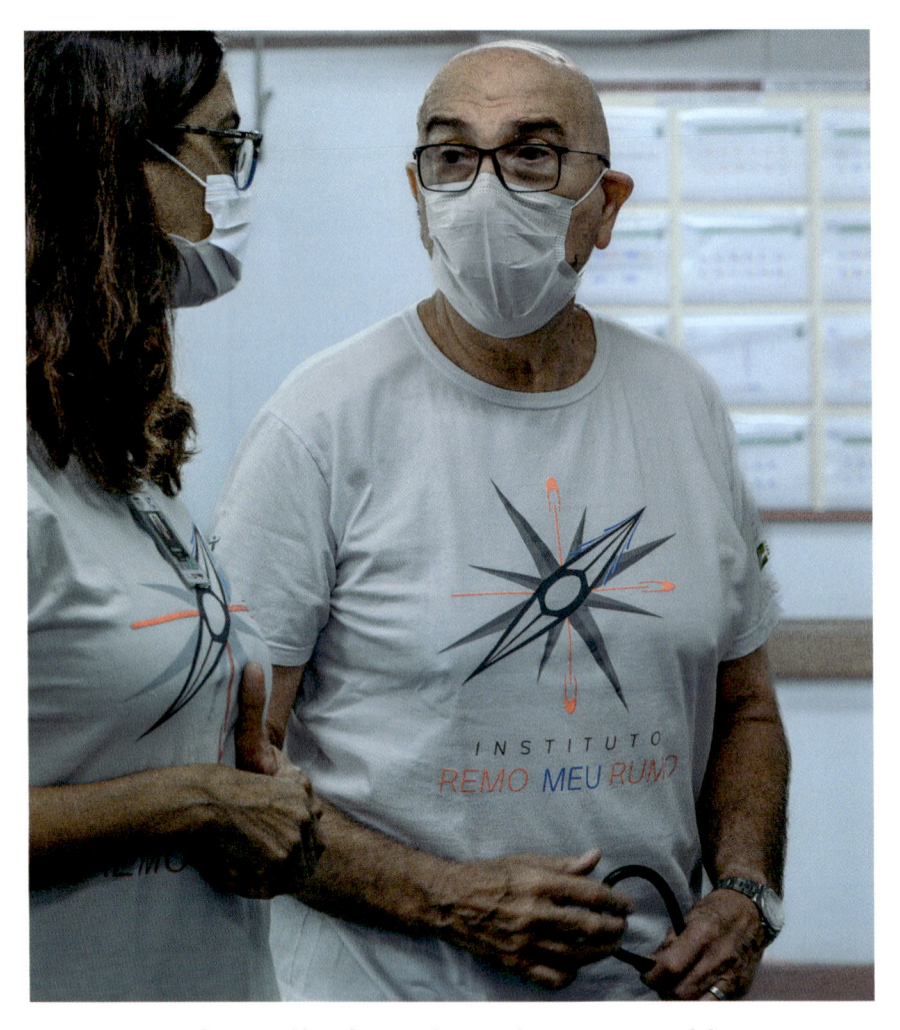

Avaliação médica de mais de cem alunos no Hospital das Clínicas, dra. Patricia Moreno e dr. Candido Leonelli.

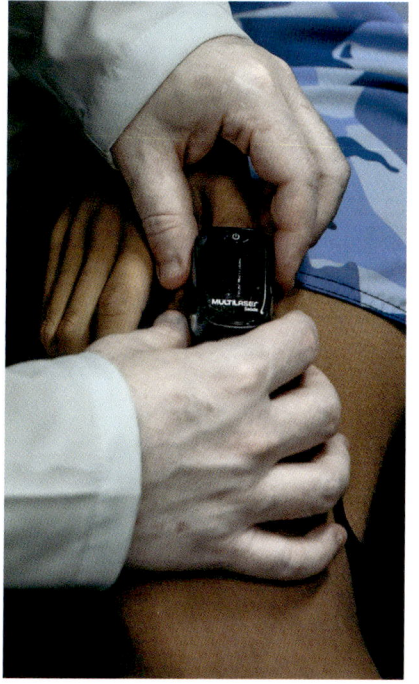

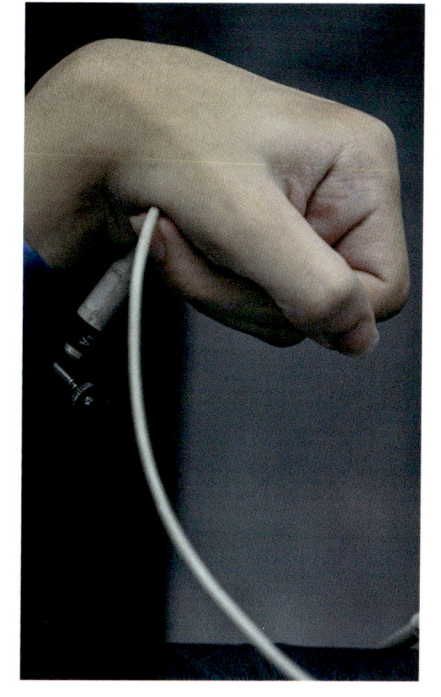

Momentos da avaliação médica.

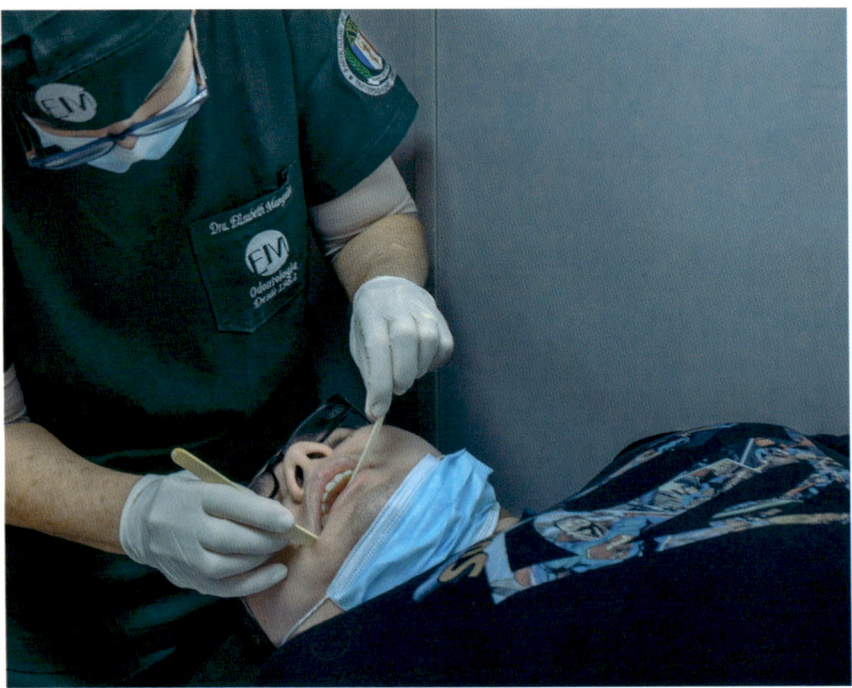

Dra. Elizabeth Manguino (EM Odontolgia) e equipe, com dra. Patricia Moreno. Avaliação odontológica e prevenção de saúde.

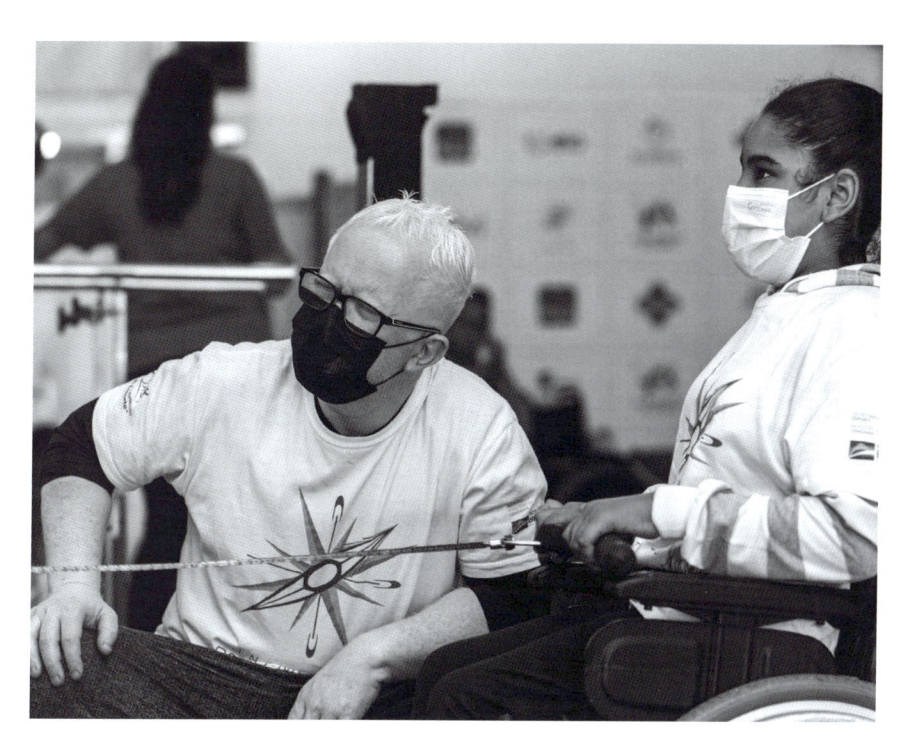

Ms. Moisés Laurentino, fisioterapeuta, ex-estagiário e mestre pela Faculdade de Medicina da USP, com a aluna Gegê.

Dia de canoagem com a prof. Daniela Alvarez na raia.

Mascote Capivara Caê,
por Jorge Gouveia.

Arte Diversidade IRMR,
por Jorge Gouveia

Rafael Baby Silva, judoca, multimedalhista mundial
e bronze em dois Jogos Olímpicos.

Lars Grael, lendário atleta de vela, medalhista olímpico
e ex-Secretário Nacional de Esportes.

BRUNO MODESTO é bacharel em Esporte pela Escola de Educação Física e Esporte da Universidade de São Paulo (EEFE-USP) e mestre em Ciências pela mesma instituição. Coordena os cursos de extensão do Departamento de Biodinâmica da Atividade Motora da EEFE--USP com ênfase na promoção de saúde desde 2010. É palestrante, consultor, professor de Primeiros Socorros e instrutor de Basic Life Support (BLS), certificado pela American Heart Association (AHA). Atualmente doutorando em Estudos Biodinâmicos na EEFE-USP.

REMOS & RIMAS

Cassiano Leonelli

Um remo para te guiar
Um ramo se quiser plantar
Uma rima para um MC
Uma rota pra poder seguir
Roma, para quem tem boca
Risos, para quem quiser ouvir
Se terra é um ímã,
Cada um tem o direito de escolher seu norte
Seu prumo, seu mote, sua direção
Fazer o bem parece o caminho certo
É bonito de ver, mais ainda de sentir
O que mais esquenta um barracão?
O sol, ou uma multidão?
Acordar antes dos passarinhos,
Ver a cidade nascendo, de mansinho
Ouvir a madeira, na água, deslizar
Fazer força, sem o final, querer enxergar
A raia é um espelho da vida
O que se aprende no barco
É luz que deve ser mantida
O garoto vira homem
A mulher vira menina
O aluno, professor
Quem aprende, quem ensina

O nome é "aula", mas a gente chama de amor
Quem já viu muita criança de cabeça baixa, enterrada no chão
E mães de unhas roídas, de tanta apreensão
Virar gente querida, que chega de cabeça erguida
Pra alegrar o barracão
Sabe que tem lá uma família
Sabe que lá tem emoção
Sabe que quem escolheu, para toda a vida, seu rumo
Foi a sábia bússola, do nosso coração

CASSIANO LEONELLI é administrador, escritor e publicitário. Atua com marketing e comunicação, já tendo sido premiado com o Leão de Prata e o de Bronze em Cannes. Contribui como voluntário com o Instituto Remo Meu Rumo desde a sua fundação.

VOLUNTARIADO NO REMO MEU RUMO – REMANDO COM O CORAÇÃO

Silvia Maria Louzã Naccache
e Sueli Felizardo Costa

Uma cultura global de voluntariado é reconhecida como vital para criar um mundo justo, pacífico, inclusivo, diverso, solidário, sustentável e compassivo. Entre tantos cenários, tantas atividades e ofertas de ação, o interesse em iniciar ou participar de um projeto de voluntariado geralmente parte da identificação com a causa, ou da necessidade de responder a uma demanda da sociedade. Há também casos em que essa inquietude aparece durante uma atividade ou pela compreensão da própria experiência de vida que o voluntariado vai proporcionar.

Segundo definição das Nações Unidas, "voluntário é o jovem ou o adulto que, devido a seu interesse pessoal e ao seu espírito cívico, dedica parte do seu tempo, sem remuneração alguma, a várias formas de atividades, organizadas ou não, de bem-estar social, ou outros campos" (Nações Unidas, 2024). O voluntário tem o poder de fazer ouvir sua voz para incentivar e causar mudanças e impactos positivos em sua comunidade, na vida de outras pessoas e na sua também. A motivação para realizar um trabalho voluntário aproxima o indivíduo da causa; ele se sente mobilizado, engajado, tem brilho no olho e alegria de participar!

As motivações que aproximam as pessoas do Instituto Remo Meu Rumo são inúmeras, mas cada um reconhece seu importante papel e conhece a missão, os valores e propósitos da organização. A partir da consciência individual de cada voluntário, o Remo Meu Rumo se constrói coletivamente uma organização sólida, transparente e relevante.

Esporte, inclusão, remo, canoagem, natação: voluntariado e profissionalismo construindo esses dez anos de Remo Meu Rumo, que, por meio do voluntariado, oferece a liberdade e a oportunidade de experimentar mais!

O programa de voluntariado Remando com o Coração reúne razão e emoção! O discernimento, a ponderação, acontecem por meio do profissionalismo na gestão e no gerenciamento dos voluntários, inclusive com alinhamento à legislação brasileira em seus aspectos jurídicos e contábeis, por exemplo, a assinatura do Termo de Adesão ao Serviço Voluntário (Lei n. 9.608/98), o atendimento à Lei Geral de Proteção de Dados (Lei n. 13.709/2018) e ainda o monitoramento, a supervisão e a valoração das horas doadas pelos voluntários (ITG 2002 R1).

Todos sabemos que a boa vontade não é suficiente; também são fundamentais o comprometimento, o empenho e a qualidade das entregas! Mas a emoção, a leveza e a alegria são também essenciais. O equilíbrio entre doar, com responsabilidade e sentimento, talento, energia, tempo, trabalho e conhecimento é que faz o Voluntariado Remo Meu Rumo acontecer, aliando o esporte e a inclusão com muito respeito à história de cada um, gerando transformação social e benefícios para todos.

Agentes de transformação, os voluntários participam e contribuem por meio de suas atividades para o alcance das metas desafiadoras da pobreza, das desigualdades, das questões graves ambientais e sociais. As agendas globais dos ODS — Objetivos de Desenvolvimento Sustentável da ONU — e da agenda Ambiental, Social e de Governança Corporativa (ESG/ASG) têm cada vez mais mobilizado, convidado e engajado indivíduos, escolas, universidades e empresas para que, por meio das práticas do voluntariado, do voluntariado educativo e ainda do voluntariado corporativo ou empresarial, colaborem com esses programas.

Voluntários Remo Meu Rumo são promotores de autonomia, de independência e confiança. Um trabalho voluntário significativo traz felicidade e tem impacto positivo no bem-estar físico e mental, na autoestima de quem pratica e de quem recebe a ação voluntária. E, principalmente, voluntários trazem a paixão: todos somos apaixonados por alguma coisa — esporte, arte, música, computadores, ciência etc. Temos *hobbies*, carreiras, interesses e muito mais, e por meio do voluntariado cada um pode compartilhar as paixões com outras pessoas e incentivá-las a encontrar as suas próprias.

Somos 57 milhões de brasileiros voluntários, segundo a Pesquisa Voluntariado no Brasil. Todos juntos, multiplicando saberes e afetos, transformando sonhos em realidade, somando pequenas ações para fazer uma grande diferença. A pesquisa aponta também que 99% dos voluntários concordam que o voluntariado leva as pessoas a conhecerem outras realidades, e isso se destacou também nas últimas décadas no Brasil, com os grandes eventos esportivos (Pan 2007, Copa 2014 e Jogos Olímpicos e Paralímpicos 2016), que, além de mobilizarem milhares de voluntários, deixaram como legado uma cultura de voluntariado também para a agenda do esporte.

O autêntico espírito de altruísmo, bem como as capacidades que o voluntário desenvolve por meio das atividades, são o que mantém o Programa de Voluntariado Remando com o Coração e, ainda, contribui para educação psicossocial e a inclusão pelo esporte. Por meio da prática do remo e da canoagem temos o convívio em um ambiente diverso, de interação com diferentes pessoas. As atividades realizadas pelo Remo Meu Rumo promovem o respeito e o espírito de equipe, a cooperação, a ajuda mútua, a colaboração, a diversidade e a equidade, valores fundamentais da prática esportiva.

Do espírito de equipe resulta a igualdade. Podemos não ser iguais em termos de desempenho desportivo, mas o esporte inclui todos. O prazer que se sente na prática do remo, canoagem, natação, não conhece barreiras de cultura, gênero, idade ou nível de desempenho. Se a prática esportiva nos ensina sobre flexibilidade, perseverança, paixão, capacidade de trabalhar em equipe, dedicação, comprometimento e busca incansável de superar-se, tais ensinamentos e aprendizagens também se aplicam ao trabalho voluntário.

Comemorar os dez anos do Remo Meu Rumo é reconhecer, agradecer e celebrar também com os voluntários! Aqueles que, movidos pela solidariedade, pelo espírito cívico e pelo amor, dedicam parte do seu tempo, embarcados e remando, navegando rumo ao porto seguro onde estão garantidas equidade, inclusão e justiça social para todos.

REFERÊNCIAS

BRASIL. Conselho Federal de Contabilidade. Norma Brasileira de Contabilidade ITG 2000 (R1), de 5 de dezembro de 2014. Altera a Interpretação Técnica ITG 2000 que dispõe sobre escrituração contábil. Brasília, DF, 2014. Disponível em: https://www1.cfc.org.br/sisweb/SRE/docs/ITG2000(R1).pdf. Acesso em: 8 jan. 2024.

BRASIL. Lei n. 9.608, de 18 de fevereiro de 1998. Dispõe sobre o serviço voluntário e dá outras providências. Brasília, DF, 1988. Disponível em: https://www.planalto.gov.br/ccivil_03/leis/l9608.htm. Acesso em: 8 jan. 2024.

BRASIL. Lei n. 13.709, de 14 de agosto de 2018. Lei Geral de Proteção de Dados (LGPD). Brasília, DF, 2018. Disponível em: https://www.planalto.gov.br/ccivil_03/_ato2015-2018/2018/lei/l13709.htm. Acesso em: 8 jan. 2024.

MOVIMENTO ODS — Objetivos de Desenvolvimento Sustentável. Disponível em: https://movimentoods.org.br/. Acesso em: 8 jan. 2024.

NAÇÕES UNIDAS. O trabalho voluntário e a ONU. Disponível em: https://www.un.org/pt/rio/carreiras/voluntariado. Acesso em: 9 jan. 2024.

PESQUISA Voluntariado no Brasil 2021. Disponível em: https://pesquisavoluntariado.org.br/. Acesso em: 8 jan. 2024.

PROGRAMA DE LAS NACIONES UNIDAS PARA EL DESARROLLO (PNUD). ¿Qué son los Objetivos de Desarrollo Sostenible? Disponível em: https://www.undp.org/es/sustainable-development-goals. Acesso em: 8 jan. 2024.

UN GLOBAL COMPACT. Pacto Global Rede Brasil. ESG. Disponível em: https://www.pactoglobal.org.br/pg/esg. Acesso em: 8 jan. 2024.

SILVIA MARIA LOUZÃ NACCACHE é voluntária do Instituto Remo Meu Rumo, empreendedora social, palestrante, avaliadora de projetos, conteudista, captadora de recursos e consultora nas áreas de Voluntariado, Voluntariado Empresarial, Responsabilidade Social, Desenvolvimento Sustentável e Terceiro Setor.

SUELI FELIZARDO COSTA é coordenadora administrativa, atuando como facilitadora na gestão do voluntariado no Instituto Remo Meu Rumo (IRMR). Conheceu o IRMR fazendo trabalho voluntário, e atua na equipe contratada do Instituto desde 2014. Psicóloga, atuou como coordenadora de voluntários, facilitadora em treinamentos de educadores, mediadora em projeto de lazer para pessoas com deficiência intelectual e docência no curso de Gestão de Projetos Sociais.

CANOAGEM, AMOR, RAIA E RUMO

Daniela Alvarez

A vida de um atleta de alto rendimento é caracterizada por dedicação extrema, disciplina rigorosa e um compromisso incansável com o treinamento e a competição. A rotina é intensa, e envolve horas diárias de treinamento físico para alcançar os objetivos.

Desde os meus primeiros passos fui inserida no esporte, com isso minha vida foi regida dentro de seus valores (ética, respeito, educação, trabalho em equipe, dedicação, disciplina, entregar o melhor, entre outros). Fui adquirindo cada ensinamento em todas as práticas esportivas que praticava.

A prática da canoagem iniciou quando assisti a uma competição na Raia Olímpica, na Cidade Universitária de São Paulo (USP), e fiquei fascinada pela força e destreza dos atletas na água. Por intermédio da escola em que estudava, tive conhecimento do Instituto Ayrton Senna, que hoje é uma organização sem fins lucrativos comprometida com a educação integral[7]. Na época em que iniciei, o Instituto Ayrton Senna participava de competições esportivas. Entre diversas modalidades oferecidas havia a canoagem, na qual fiz avaliação, e desde 6 de agosto de 1996 sigo remando.

Desde as primeiras remadas eu era determinada a me superar. Treinava intensamente, desenvolvendo resistência e técnica, e

---

[7] https://institutoayrtonsenna.org.br.

logo comecei a participar das competições e a conquistar títulos. A equipe de treinadores do Instituto Ayrton Senna era excelente, regida por Claudio Zigmond, que conduzia os futuros atletas a ir além do esporte. Era muito mais que apenas uma técnica da remada; eram ensinamentos para a vida, que ali estávamos apenas começando.

CANOAGEM

A canoagem é uma atividade náutica, sendo modalidade olímpica desde 1936. As canoas foram desenvolvidas no transcurso de milhares de anos, primeiro pelos povos nativos da América do Norte. A canoagem velocidade é praticada com caiaques ou canoas, sendo essencialmente uma modalidade de competição. É praticada em rios ou lagos de águas calmas, com nove raias demarcadas nas distâncias de 1.000, 500 e 200 metros[8].

Como a maioria das atividades físicas, a prática da canoagem tem diversos benefícios: reduz o estresse e os sintomas de ansiedade, melhora a qualidade do sono, melhora a aprendizagem, reduz sintomas depressivos, previne e diminui a mortalidade por doenças crônicas como pressão alta e diabetes, melhora a força, o equilíbrio e a flexibilidade e proporciona a socialização e a convivência. Outros benefícios associados às competições estão relacionados com a estimulação da criatividade e das capacidades cognitivas de memória, concentração e raciocínios estratégicos dos participantes, por meio dos inúmeros fundamentos técnicos e das táticas inerentes ao esporte.

---

8 CANOAGEM BRASILEIRA. Disponível em: http://www.canoagem.org.br. Acesso em: 13 jul. 2024.

EQUIPE PERMANENTE

A primeira equipe permanente exclusivamente feminina de canoagem teve seu início em 2003, na cidade de Caxias do Sul, no Rio Grande do Sul. Integrei essa equipe por oito anos, mantendo compromisso incansável com os treinamentos e dedicação intensa. Nela, competi em campeonatos nacionais e internacionais.

Nessa época me desenvolvi muito mais como atleta, e o compromisso com o esporte aumentou intensamente. Enfrentei algumas lesões, momentos de frustrações e competições acirradas. Mas nunca desisti; cada obstáculo servia como motivação para me superar e me tornar uma atleta ainda melhor. Tive excelentes conquistas: campeã sul-americana, campeã dos Jogos Sul-Americanos, campeã pan-americana, inúmeras vezes campeã brasileira, finais em Campeonatos Mundiais, Copas do Mundo, University. Viajávamos o mundo treinando, competindo, superando todas as adversidades, buscando constantemente alcançar o melhor. Antes de integrar a equipe permanente eu já representava o Brasil em diversas competições internacionais e representei alguns clubes, como o CEPEUSP (Centro de Práticas Esportivas da Universidade de São Paulo), o Clube Esperia e o Esporte Clube Cubatão.

Em todos os treinamentos e competições eu entregava o melhor. A sensação de saber que eu havia deixado tudo de mim é maravilhosa. Vida de atleta não é fácil: exige dedicação total, ficar longe da família, dos amigos, mas os ganhos, os aprendizados, fazem tudo valer a pena e se tornam gratificantes, pois se tem a oportunidade de alcançar conquistas extraordinárias, representar o país em competições internacionais e inspirar outras pessoas com nossa determinação e superação.

A vida de um atleta de alto rendimento é uma jornada única, repleta de desafios, realizações e aprendizados constantes, como disciplina, perseverança, trabalho em equipe, resiliência e superação. O esporte desempenhou um papel fundamental em minha vida, ensinou-me valores importantíssimos que moldaram minha personalidade e atitude em relação à vida.

Juntamente com a vida de atleta eu me dedicava aos estudos, e com isso me graduei bacharel em Educação Física, profissão à qual, após encerrar a vida de atleta de alto rendimento, comecei a me dedicar integralmente, competindo em campeonatos nacionais.

VIDA PROFISSIONAL

Após encerrar a carreira de atleta de alto rendimento, recebi o convite para integrar a Equipe Nacional Multidisciplinar de Saúde da Paracanoagem, na qual era auxiliar técnica do excelente treinador Thiago Pupo. Com essa equipe, estive presente no ciclo dos Jogos Paralímpicos Rio 2016, no qual obtivemos a primeira medalha da paracanoagem em sua primeira edição em Jogos Paralímpicos, terceiro lugar na categoria KL3 (atletas com função de tronco e função parcial de perna, capazes de sentar-se com o tronco em posição flexionada para a frente no caiaque e aptos a utilizar pelo menos uma perna/prótese).

A paracanoagem é um esporte náutico de velocidade destinado a atletas com deficiência físico-motora. Os dois principais tipos de barcos são *kayaks* (K), impulsionados por um remo de duas pás e canoas chamadas *va'as* (V); o barco tem um apoio chamado de ama, como uma boia. O barco é propulsionado por um remo de uma única pá. As categorias são[9]:

---

[9] CANOAGEM BRASILEIRA. Disponível em: http://www.canoagem.org.br. Acesso em: 13 jul. 2024.

– **KL1/VL1:** atletas com nenhuma ou função de tronco muito limitada e nenhuma função de perna. Geralmente precisam de um assento especial com encosto alto no caiaque.
– **KL2/VL2:** atletas com função de tronco parcial e função de perna, capazes de sentar-se eretos no caiaque, mas podem precisar de um encosto especial; movimento das pernas limitado durante o remar.
– **KL3/VL3:** atletas com função de tronco e função parcial de perna, capazes de sentar-se com o tronco em posição flexionada para a frente no caiaque e aptos a utilizar pelo menos uma perna/prótese.

A experiência de trabalhar com pessoas com deficiência no esporte que faz parte da minha essência foi enriquecedora. Ser um facilitador, um motivador e um guia para os paratletas alcançarem seu potencial máximo é extremamente gratificante. É voltar no tempo e saber que, com dedicação, é possível alcançar o impossível.

INSTITUTO REMO MEU RUMO

Em 2017, integrei a equipe multidisciplinar de saúde do Instituto Remo Meu Rumo (IRMR). Tive conhecimento sobre o Instituto desde seu início, quando voltei a residir em São Paulo e passei a trabalhar na Raia Olímpica da USP. Desde então eu admirava o propósito do Instituto, que me inspirava a treinar, pois ainda competia em campeonatos nacionais.

No Instituto me encontrei profissionalmente. Depois que virei mãe, o esporte de alto rendimento não era mais uma prioridade, e eu queria novos desafios que não me tirassem de perto da família que estava construindo. O surgimento da oportunidade de trabalhar no Instituto, na Raia Olímpica, que é um dos lugares onde me sinto em paz, de onde tenho maravilhosas lembranças e a cada dia me surpreendo com sua beleza, foi um presente de Deus.

Me conectar com os alunos, com suas histórias e famílias, é maravilhoso. É uma mistura de orgulho, alegria e gratidão ver sua evolução, uma sensação de realização ao testemunhar o progresso diante das dificuldades, sabendo que tive um papel importante nesse processo. É uma emoção indescritível que reforça a importância do trabalho do professor e seu impacto positivo. Todos os dias, ao vê-los fazer novas conquistas e desenvolver habilidades, são para mim uma fonte de inspiração e motivação, e minha maior recompensa é receber os lindos sorrisos e os abraços apertados que recebo.

A cada remada, os alunos vão vencendo suas limitações. Depois de cada obstáculo superado, novos horizontes se abrem, e aqui não deixamos ninguém para trás: todos brilham e têm a oportunidade de remar. O nosso leme é o amor. Trabalhar com um propósito é ter significado no que se faz, satisfação, motivação, contribuir para um objetivo maior, impactar positivamente na vida dos atendidos. Fazer a diferença diariamente é extremamente gratificante e vai muito além do esporte.

Durante as atividades e desde a chegada dos alunos e suas famílias, proporcionamos um ambiente acolhedor, seguro, motivador e encorajador para que participem ativamente das atividades. Conhecemos cada particularidade, e com isso promovemos a equidade. É uma responsabilidade gratificante que exige extrema atenção, dedicação e abordagem individualizada, pois temos diversos alunos com diagnósticos distintos.

O Instituto transcende o esporte. Não é apenas atividade física, reabilitação, aprender a remar; é uma ferramenta de transformação social, inclusão, superação, desenvolvimento pessoal; é impactar vidas positivamente. Além de promover a saúde, ensinamos, nas atividades diárias, os valores que o esporte traz — trabalho em equipe, respeito, perseverança, disciplina. Motivamos os alunos a se superarem, a conquistarem sua independência, sua autonomia, a ir além. Ter um diagnóstico não define ninguém; todos têm habilidades e potenciais únicos.

Ter o privilégio de poder passar para os alunos todos os ensinamentos que tive como atleta, que desenvolvi com o esporte, o amor que nasceu em mim quando virei mãe, é uma satisfação imensa. Trabalhar com o que se ama é imensurável; quando fazemos o que nos apaixona, cada dia se torna uma oportunidade de crescimento e realização pessoal, e o trabalho deixa de ser uma obrigação para se transformar em uma fonte de realização.

A paixão pelo que fazemos nos impulsiona a dar o nosso melhor, a buscar constantemente pelo aprendizado, nos permite viver uma vida mais significativa, em que cada momento é vivido com propósito.

DANIELA ALVAREZ é bacharel em Educação Física pela Universidade de Caxias do Sul. Suas primeiras remadas foram dadas em 1996, no Instituto Ayrton Senna. Foi atleta de alto rendimento de canoagem velocidade de 1996 a 2011. Foi atleta da Seleção Feminina de 2003 a 2011, conquistando inúmeros títulos nacionais e internacionais. Integrou a equipe técnica da Seleção Brasileira de Paracanoagem de 2015 a 2016, conquistando medalha de bronze nos Jogos Paralímpicos Rio 2016. Atualmente integra a equipe multidisciplinar de saúde do Instituto Remo Meu Rumo.

O ESPORTE NA MINHA VIDA

Nicolly dos Santos Dias

Eu sou a Nicolly dos Santos Dias, tenho dezesseis anos e nasci com mielomeningocele. Nunca enxerguei a minha deficiência como um obstáculo, e essa minha percepção aumentou ainda mais em uma consulta de rotina no Hospital das Clínicas ao receber um convite da Dra. Patricia Moreno, que me acompanha desde bebê, para conhecer o projeto Instituto Remo Meu Rumo, no ano de 2015. Lá aconteceria uma festa em comemoração ao Dia das Crianças. Embora eu tivesse apenas oito anos naquela época e ainda com uma bota longa de gesso, pois estava recém--operada, não deixamos de comparecer.

Chegando lá, eu e minha mãe fomos bem recebidas, acolhidas e abraçadas por todos. Eu ainda não tinha uma visão tão madura do que aquele esporte poderia me trazer — nem mesmo a minha mãe —, pois, até então, ela desconhecia o esporte para uma criança com deficiência. Porém, dentro dela nascia uma esperança, de que eu me integraria à sociedade — e foi isso que aconteceu.

Nesse período, eu nem sequer tocava a minha cadeira, era totalmente dependente da minha mãe, mas, lá, cada dia que passava aprendíamos um pouquinho mais, não só com os profissionais, mas também com as outras crianças, mães e pais. Isso foi me dando mais independência, autoconfiança e liberdade, me fazendo enxergar que a minha cadeira não me impõe limites, pelo contrário: ela é quem me dá asas para voar, é ela quem me faz andar do meu jeito.

A partir do momento em que chegamos lá, passamos a frequentar todos os sábados, e a cada dia eu via minha evolução física e psicossocial. Eu sentia orgulho de mim mesma. Isso aumentou ainda mais a minha vontade de me inserir no mundo do esporte e desbravar novos horizontes. Hoje, além do remo, eu faço esgrima e o meu sonho — e objetivo — é me tornar uma atleta profissional. Hoje, além do remo, estou praticando esgrima, treinando como atleta no CPB, e já ganhei minhas primeiras medalhas, seguirei remando em busca do meu sonho, me tornar atleta profissional.

Minha gratidão total ao Instituto Remo Meu Rumo, pois foram eles que abriram as portas, e em especial a Dra. Patricia Moreno e seu esposo, Ricardo Macéa.

NICOLLY DOS SANTOS DIAS é aluna do Instituto Remo Meu Rumo desde 2015. Atualmente também é atleta esgrimista de alto rendimento, treinando no Comitê Paralímpico Brasileiro (CPB).

REMANDO MEU RUMO

Guilherme Corsi

Em uma sexta-feira como outra qualquer, recebo uma mensagem de uma amiga perguntando se eu não queria encontrá-la no Sacolão Perdizes após o seu treino de muay thai. Não fiquei surpreso; esses encontros já estavam se tornando rotina, pois gostávamos de comer e ficar reclamando da vida, tanto que para a gente o sacolão era mais conhecido como "muro das lamentações". Aceitei o convite.

Já no famoso "muro", pedimos o de sempre: um pastel pra mim e um açaí pra ela. E passamos algum tempo conversando, reclamando, dando risada, usufruindo tudo que o "muro" podia nos oferecer. Na fila para pagar a conta, uma pessoa alta toca no meu ombro. "Devo ter falado alto alguma bobagem e vão brigar comigo", pensei. "Oi, Meu nome é Patricia, eu sou médica ortopedista, percebi que você tem PC, podemos conversar rapidinho?" Confesso que foi tão inesperado que eu demorei alguns segundos para conseguir entender o que ela quis dizer com PC.

Caro leitor, você provavelmente não me conhece; logo, vou te poupar de passar pela mesma confusão. PC é "paralisia cerebral". Eu nasci aos seis meses e meio e tive uma falta de oxigenação no cérebro que resultou na PC. Por causa disso, tenho alguma dificuldade de mobilidade e meus tendões da perna são encurtados.

Voltando à conversa, "Claro", respondi, ainda um pouco confuso e desconfiado de que ia levar uma bronca. Ela estava acompanhada de um homem igualmente alto.

"Eu e o Ricardo estamos com um novo projeto chamado Remo Meu Rumo, que é lá na Raia Olímpica da USP. Vimos que você e sua amiga parecem gostar de esportes. Você toparia ir conhecer ou até treinar com a gente?"

A situação começou a fazer sentido. Minha amiga estava com roupa de muay thai e duas malas gigantes de academia e, bom, não é difícil perceber que eu tenho PC.

"Poxa, que legal. Topo conhecer sim. Como posso fazer?", respondi.

"Vai ter um treino amanhã às 8 horas. Só entrar na USP, ir pra Raia e perguntar pelo Marcinho, nosso treinador", a Patricia respondeu, enquanto Ricardo rapidamente me passou um papel com as principais informações anotadas.

Nos despedimos e voltei para casa pensando se acordar cedo em um sábado por causa de um casal que eu conheci no sacolão era uma boa ideia.

Não demorou muito para eu decidir que sim. Cheguei em casa já avisando meus pais que no dia seguinte teria um treino de manhã cedo na Raia Olímpica da USP. Imagino quão confusos eles ficaram, mas incentivaram a ideia.

Sábado de manhã lá estava eu, na Raia, me questionando por que eu fui inventar de acordar tão cedo. Antes de eu conseguir chegar a uma conclusão, o professor Marcio já havia me colocado para remar no barco-escola e começado a me ensinar os movimentos básicos do remo. Após algumas remadas, ter acordado cedo já não era mais um problema. Eu havia descoberto um esporte novo!

As semanas foram passando, o professor Marcio virou Marcinho e eu fui conhecendo melhor meus colegas de remo. O barco-escola foi intercalado com o remoergômetro e eu fui gostando cada vez mais de remar.

Algumas semanas depois, fui apresentado à Ana Helena. Pra mim foi uma grande surpresa, pois eu tinha assistido a uma palestra dela em um seminário de segurança de voo alguns meses antes, mas não tinha chegado a conversar com ela. Caso eu tivesse conversado, talvez o convite pra remar tivesse vindo alguns meses antes, quem sabe.

Logo ficamos amigos e ela me fez um convite muito especial, para dividir o barco com ela. Seria minha primeira vez remando "na água". Entusiasmado, aceitei o convite.

Remar na água fez todo o treinamento que eu tive antes fazer sentido. Foi muito bom. E ali tive a certeza de que não tinha só encontrado "um esporte": tinha encontrado o meu esporte.

A partir daí, segunda, quarta e sábado eram dias de remar. Do *double* rosa com a Ana à faraônica e pesada *yole*, até os diferentes *canoes* da USP. A sensação de evolução era viciante, a cada semana um treino mais forte, um novo desafio, uma barreira a menos.

No colégio todos sabiam do meu novo esporte. Ganhei um novo apelido, "Max Steel", pois estava ficando forte e comecei a ir pra aula com umas roupas mais justas por causa do treino, que era logo depois do almoço. Minha nova rotina era sair da aula, comer um pão com ovo e pegar um ônibus pra USP. Quando tinha tempo, chegava a fazer dois treinos por dia, um de manhã e outro à tarde.

Todo esse tempo na Raia me fez criar amizades. Não eram mais "colegas de remo", eram o Samuel, o Julio, o Pedrinho e a Manu, o Luiz, a Ana, cada um com sua história, e passar meu tempo com eles na Raia era sempre o ponto alto do meu dia.

Ao mesmo tempo, o Ricardo e a Patricia trabalhavam dia e noite para expandir e melhorar o Instituto Remo meu Rumo (IRMR). Chegaram as primeiras camisetas, novos coletes salva-vidas e foram organizadas diferentes celebrações, como a festa junina, que crescia ano a ano. A cada mês que passava havia mais pessoas remando com a gente ou ajudando o IRMR.

Mas a vida adulta já estava batendo na porta, ensino médio terminando, e eu decidi que queria fazer Engenharia. No começo até consegui conciliar o estudo com o remo, mas com a chegada do vestibular e a faculdade tive que fazer uma escolha, dar um "até logo" para o meu esporte e focar no estudo.

Nesse meio-tempo, estudei muito, representei a minha universidade em um congresso de acessibilidade em Berlim, achei que seria engenheiro aeronáutico, mas percebi que o que eu gostava mesmo de fazer era trabalhar com programação e tecnologia. Estagiei, desenvolvi projetos, fui efetivado, promovido, trabalhei remotamente pra fora do Brasil em um fuso horário esquisito e consegui alcançar mais do que podia imaginar quando decidi "focar no estudo".

Com minha carreira profissional evoluindo, consegui fazer uma doação para o IRMR. Achei que não seria nada de mais, que estava só ajudando uma entidade que me ajudou muito, mas, quando o Ricardo me mandou mensagem falando que eu era o primeiro aluno a realizar uma doação para o Instituto, vi que era um gesto muito importante não só pra mim, mas também para o IRMR.

Mesmo assim, sentia muita falta de poder remar, me exercitar e estar na Raia. Por isso, durante a pandemia, com a ajuda do IRMR e do Ricardo, voltei a treinar ergômetro e sabia que, assim que tudo voltasse ao normal, eu estaria de volta à Raia.

E deu certo! Mas não voltei a remar sozinho. Hoje meus pais e minha namorada remam comigo toda semana e descobriram que o remo pode ser o esporte deles também. Até compramos um remoergômetro para poder treinar em casa.

Nessa longa jornada de quase dez anos que resumi em algumas palavras neste texto, me sinto realmente privilegiado de poder ter presenciado toda a evolução do Instituto. No começo os barracões e barcos eram compartilhados com a USP, e eram muitos desafios. Hoje, toda vez que acabo meu treino, vejo o barracão próprio do IRMR, com uma estrutura toda nova, barcos novos e muitos alunos. Sei que isso é fruto de muito trabalho e dedicação!

Por tudo isso, só tenho a agradecer ao IRMR, à Dra. Patricia, ao Ricardo, Ana Helena, Candido, Cesar, Marcinho e todos os voluntários e amigos que fiz no remo. Vocês mudaram minha vida e a de muitas outras pessoas também.

GUILHERME CORSI é aluno do Instituto Remo Meu Rumo.

REMO, SORRISOS E VITÓRIAS

César Augusto Moreira Silva

Meu nome é César Augusto Moreira Silva, nasci em 24 de abril de 1982, na cidade de Barueri.

Na minha vida sempre me dediquei aos estudos. Cursei do ensino primário até o segundo grau na escola Elói Lacerda, em Osasco.

Em outubro de 2003, iniciei na modalidade remo olímpico no Clube Esperia. Nesse mesmo período, em virtude de uma parceria com Universidade Presbiteriana Mackenzie e o Esperia, ganhei uma bolsa de estudos para cursar Educação Física. Em 2004, ingressei nesse curso, que concluí em 2008.

O remo me fez ter uma identidade, me fez enxergar além do horizonte. Quando você inicia em um esporte, seja ele qual for, cria mais responsabilidade, disciplina e sabedoria. O esporte é uma ferramenta que te prepara para todos os aspectos da vida.

No esporte e na vida, estaremos sempre competindo. Seja na vida profissional, seja no dia a dia, seu maior adversário será você mesmo, com persistência, tentando quantas vezes for preciso, sem nunca desistir, mesmo que você encontre algumas barreiras. No final tudo vai dar certo!

Em 2005, me transferi para o Club Athletico Paulistano, onde, além de ser atleta, estagiava como professor de remo. Em 2007, me transferi novamente como professor, dessa vez para o Clube de Regatas Bandeirante, onde comecei um trabalho com o remo para pessoas com deficiência.

Em 2010, comecei a fazer pós-graduação em Reabilitação em Deficiência Física e Gestão no Centro de Reabilitação na Universidade Federal de São Paulo (Unifesp/AACD), com término em 2011.

Em 2014, recebi o convite do Instituto Remo Meu Rumo para ministrar as aulas de remo olímpico e para-remo. Nesse mesmo período já estava fazendo parte da Seleção de Para-Remo do Brasil e, junto ao Remo Meu Rumo, conquistei a vaga para ir às Paralimpíadas do Rio de Janeiro de 2016 e depois às Paralimpíadas do Japão, em Tóquio, em 2020. Nas Paralimpíadas do Rio 2016, conquistamos o quinto lugar na categoria Para-Remo PR1 masculino; nas Paralimpíadas de Tóquio, conquistamos a medalha de bronze na categoria PR1 masculino.

Ser treinador do Instituto Remo Meu Rumo e da Seleção Brasileira de Para-Remo traz benefícios para as aulas pelas inovações que aprendemos com a modalidade. Creio que exista uma troca entre a qualidade de vida e o alto rendimento.

Em cada término de ciclo paralímpico, depois de todas as conquistas, a sensação de missão cumprida, de que o sonho se tornou realidade, é imensurável. Nosso papel é mostrar para as crianças que elas são capazes de tudo, basta acreditar!

Sinto orgulho quando vejo o quanto o Instituto Remo Meu Rumo cresceu. Institucionalmente, fazer parte dessa família não tem preço. Ver o que criamos, dezenas de crianças remando, isso sem dúvida é uma das coisas mais importantes da minha vida.

Na minha trajetória no esporte e no Instituto Remo Meu Rumo, alguns valores para o sucesso foram importantes, como disciplina, empatia, compromisso, determinação e senso de pertencimento. Esses valores são essenciais se você almeja alguma coisa na vida.

Nosso papel como educadores é formar cidadãos críticos e respeitosos, capazes de fazer uma reflexão sobre sua vida.

A mensagem que deixo para nossos alunos é: façam sempre seu melhor a cada dia, estudem, trabalhem, criem, se aventurem e nunca deixem ninguém falar que não conseguem. Que eles sempre se coloquem em primeiro lugar!

CÉSAR AUGUSTO MOREIRA SILVA é professor de remo adaptado no Instituto Remo Meu Rumo e integra a Comissão Técnica da Seleção Brasileira de Para-Remo/CBR, presente nas Paralimpíadas do Rio 2016 e Tóquio 2020. Foi treinador do medalhista paralímpico Renê Campos Pereira, medalhista de bronze em Tóquio, e estará presente nos jogos Paralímpicos de Paris 2024.

PELAS ÁGUAS DA VIDA

Victor Santos Almeida

"Você não pode colocar um limite em nada. Quanto mais você sonha, mais longe você chega."
Michael Phelps

O Instituto Remo Meu Rumo entrou na minha vida quando iniciei o tratamento no Instituto de Ortopedia e Traumatologia no Hospital das Clínicas com a Dra. Patricia Moreno. Carinhosamente, falo que ela é a estrelinha da minha vida. É ela quem me acompanha como médica desde que eu era um bebezinho, e por volta dos meus seis anos a Dra. Patricia me convidou para uma festa de Natal no Instituto, em 2014. Foi assim que conheci o projeto e me encantei pela atividade que propunham. Em 2015 iniciei de fato no Instituto, permanecendo até meados de 2018.

A primeira vez que fui à Raia Olímpica da USP, enquanto observava os barcos a remo e os caiaques, pensei: "Meu Deus, que incrível!". Quando fui para a água pela primeira vez, em um barco, lembro que foi muito divertido. Eu estava com os amigos que fiz no projeto e lembro de ter a sensação de estar literalmente "andando" sobre as águas.

Eu gostava muito de frequentar o Instituto, porém o que eu mais adorava era o clima de união. Era como se fôssemos uma grande família. Todos que ali participavam tinham uma convivência muito boa, muito alegre; era uma diversão imensa. Sem contar que o tratamento da equipe, dos professores, era excepcional.

Eu gostava muito! A forma como nos ensinavam sobre o remo, sobre a canoagem, era enriquecedora, um misto de brincadeira com treino. Eles realmente encontraram maneiras de entreter a todos, o que tornava o ambiente alegre, prazeroso e inclusivo. Todos os professores eram muito atenciosos com os alunos.

Cada experiência e vivência que tive no Instituto me ensinaram valores muito importantes e essenciais que busco levar pra minha vida. São estes: o respeito, a união, valorizar a família, ter empatia, querer o bem um do outro, ajudar o próximo, alegrar o dia do outro o fazendo rir, brincando.

Permaneci no Instituto até os meus nove anos. Sempre gostei de água, e eu gosto de dizer que eu não escolhi a natação, e sim ela que me escolheu. Quando eu tinha apenas três meses de vida meus pais me colocaram na natação; minha mãe, que sempre amou esse esporte, conheceu uma aula de natação para bebês e se apaixonou. Falava que, quando tivesse um filho, iria colocá-lo na natação. Dito e feito: quando nasci, logo que minha mãe soube da minha deficiência, não perdeu tempo em me inserir na natação; foi a forma que ela encontrou de realizar seu sonho e ainda conciliar com a fisioterapia, tão necessária para o meu desenvolvimento.

A natação foi tão importante na minha vida desde o início, me fortalecendo e me preparando, que com apenas onze meses eu já era capaz de andar sozinho com minha prótese. Desde muito pequeno até hoje vivencio a natação e pretendo viver desse esporte pelo resto da minha vida. Iniciei em uma academia de bairro e aos cinco anos participei da minha primeira competição. Foi nesse dia que descobri minha paixão por competir, sentir aquela adrenalina, aquele friozinho na barriga e toda aquela atmosfera era contagiante.

Foi quando aos nove anos eu tomei uma decisão e comuniquei aos meus pais que queria competir, levar isso a sério. Nessa mesma época fiz teste para o Clube Corinthians e passei. Não demorou muito e me indicaram para fazer um teste no Centro de Treinamento Paralímpico, uma vez que no Corinthians era uma equipe apenas convencional, não paralímpica. Fiz o teste no Centro Paralímpico e mais uma vez passei, iniciando assim na Escola Paralímpica de Esportes do Comitê Paralímpico Brasileiro (projeto de iniciação esportiva para crianças e jovens de sete a dezessete anos).

Naquela época, quem comandava a equipe de base de natação era a Soraia, e lembro que ela falou: "Pode puxar esse menino!" Foi nesse momento que realmente iniciei minha trajetória de atleta, precisamente em março de 2018. Em outubro de 2023, integrando a Seleção Brasileira de Natação Paralímpica, tive a oportunidade de participar da competição World Series em Guadalajara, no México. Nessa competição ganhei cinco medalhas: ouro nos 100 metros costas, ouro nos 400 metros livre, prata nos 100 metros livre, bronze nos 100 metros borboleta e bronze nos 50 metros livre.

Minha prova principal é 100 metros costas, e nessa prova fui classificado como o sexto melhor tempo do mundo e o primeiro melhor tempo das Américas. Minha primeira convocação ocorreu após essa competição. Representei o Brasil nos Jogos Parapan-Americanos de 2023, que foi realizado em novembro na cidade de Santiago, capital do Chile, onde conquistei quatro medalhas! Foi um momento muito marcante e inesquecível neste meu início de trajetória como atleta de alto rendimento internacional.

Conquistar todas essas medalhas, bater recordes, requer uma rotina de treinos regrada e com muita disciplina. Meus treinos acontecem de segunda a sábado, e segunda e sexta eu treino na academia. Para me preparar para as competições, meu treino é dividido em vários. São vários estilos de treino, denominados períodos. Primeiro iniciamos com o bloco de base, que alinha os fundamentos e a resistência, seguimos com o bloco de força, depois o bloco específico, caracterizado por especificar o treino para as provas de competição, e por último o bloco do polimento, que refina o treinamento, direcionando melhor para o estilo de velocidade e passagem na prova, com o objetivo de chegar o mais rápido possível na competição.

Todo esse empenho está alinhado com minha maior meta, os Jogos Paralímpicos de Paris de 2024. Por falar em metas, existem alguns atletas que me inspiram nessa jornada: em primeiro lugar, o jogador de futebol Cristiano Ronaldo, sem dúvida meu maior ídolo. Me inspiro na sua perseverança, mentalidade e foco e, obviamente, na carreira supervitoriosa dele. Já na natação me inspiro no Michael Phelps e no Daniel Dias.

Para finalizar, gostaria de deixar um recado para as crianças e jovens do Instituto Remo Meu Rumo: nunca desista dos seus sonhos, tenha sempre uma meta e um objetivo claro na sua mente. Se inspire em alguém, mas a sua maior motivação diária tem que ser você, e tem que ser seu sonho, que você vai ter que fazer acontecer. Você sabe da sua força, da sua garra; é só continuar nisso, continuar nessa rotina, nessa perseverança. Seu sonho vai chegar, pode ter certeza disso. Como muitos sonhos saem do Instituto, o seu pode ser mais um.

VICTOR SANTOS ALMEIDA (VITINHO) é ex-aluno do Instituto Remo Meu Rumo, atualmente nadador de alto rendimento do Comitê Paralímpico Brasileiro (CPB) e medalhista no Para-Panamericano de Santiago em 2023, além de inúmeras outras conquistas. Aos 16 anos, Vitinho está classificado para os jogos Paralímpicos de Paris 2024.

SONHOS, PERSEVERANÇA E ATITUDE

Manoel Lucas

Quem escreve este capítulo hoje é um jovem de 27 anos, jornalista e agora também fazendo a segunda graduação em Análise e Desenvolvimento de Sistemas, portador de paralisia cerebral (mais conhecida como PC). Venho aqui falar sobre minha contribuição na construção deste sonho que é o Instituto Remo Meu Rumo. Por que me refiro à contribuição? Independentemente de ser aluno, voluntário, colaborador ou até um apoiador, saiba você que temos algum aspecto, atitude ou uma habilidade, resultando nesses dez anos de sonhos realizados. Para que você entenda o porquê dessa minha afirmação, nos próximos parágrafos explicarei a minha trajetória narrada por minha ótica.

Estava eu, numa noite de sábado de 2016 (não lembro a data precisa da veiculação da matéria), injuriado, querendo alguma coisa para fazer, quando, antes do encerramento do Jornal da Record (Record TV), vi uma matéria sobre o Instituto e fiquei extremamente maravilhado com o projeto. Na semana seguinte, pesquisei no Google um pouco mais sobre e, dentro de meu quarto, em uma comunidade carente na Zona Norte de São Paulo, liguei para o número indicado e quem atendeu foi o meu hoje grande amigo Ricardo Macéa (diretor do Instituto). Ele me explicou o que era o projeto e eu gostei muito.

Em uma quinta-feira, estava a caminho de meu treino de natação quando resolvi falar novamente com ele, que me convidou para uma festa junina que aconteceria no sábado seguinte. Chegando lá junto com meu pai (atualmente falecido), descobri também que era uma festa comemorativa de três anos e fizeram um momento para me recepcionar. O Ricardo me apresentou e logo depois foi chamada a Dra. Patricia Moreno (ortopedista pediátrica), na frente de todos os alunos e voluntários presentes, para me entregar o uniforme oficial, marcando assim o início de minha contribuição como o novo aluno do Instituto Remo Meu Rumo sob fortes aplausos.

No sábado seguinte, eu saía de casa às seis e meia da manhã, peguei o primeiro ônibus para a estação Tucuruvi (Linha 1-Azul do Metrô), fiz baldeação na Estação da Luz (uma das estações mais antigas e bonitas da cidade de São Paulo) para a Linha 4-Amarela e desci na última estação da linha na época, a Estação Butantã (atualmente a linha se estende até a Estação Vila Sônia). No terminal de ônibus junto à estação, acabei encontrando o Aparecido (mais conhecido como Cido) e a filha dele, a Emanuelle Chagas (mais conhecida como Manu), a aluna mais antiga do Instituto. Eles me auxiliaram sobre qual ponto deveria descer para chegar à Raia. Chegamos juntos às 8h45 da manhã na Raia Olímpica da Universidade de São Paulo (USP), uma das universidades mais renomadas e concorridas do país, para minha primeira aula.

Às 9 horas da manhã, o professor César Augusto chamou todos os alunos para irmos ao barco-escola. Era uma sala simulando um barco de remo, com remos de madeira em um tanque, remoergômetros e aparelhos de academia para fortalecer para a prática do remo. Ali, ele e outros voluntários, no decorrer dos dias, foram ensinando a praticar o esporte. Atletas voluntários, como Ana Helena Puccetti, a Ana Luiza Palassão (que também é cirurgiã-dentista), a própria Dra. Patricia, o Ricardo, o Diogo Caldeira (atleta e primeiro aluno do Instituto) e outros. No início foi muito difícil, mas no decorrer das aulas me familiarizei.

Passado um mês, era a hora de começar a remar em um barco de verdade e eu remei em um antigo barco de madeira que o atleta Candido Leonelli usou na época em que era possível remar no rio Tietê. Comecei ainda errando no sincronismo exigido para a prática de remo, porém, passando o tempo, me aperfeiçoei e já remava junto com outros alunos. Vivi as aulas do Instituto como o melhor dia da semana. Teve uma época em que eu ia quase todos os dias para a Raia treinar e vivia intensamente cada momento.

Numa tarde, enquanto esperava meu transporte para voltar para casa, me sentei em um banco na frente do Ricardo e professores. Eles estavam conversando debaixo de uma árvore na Raia em uma reunião. Não quis interferir. Mal sabia que, um pouco tempo depois da reunião, teríamos a própria garagem do Instituto, sem depender muito do barco-escola, e agregaram-se também novas parcerias, voluntários e estagiários, e a canoagem, por intermédio da professora Daniela Alvarez, começou a fazer parte além do remo. Sinal de que o Instituto estava crescendo.

Tudo estava indo muito bem, até que em 2020 veio a pandemia de covid-19, obrigando todo mundo a parar suas atividades e ficar em casa. Nessa hora, no meio de todo o isolamento social, veio uma luz no fim do túnel com os atendimentos online de psicologia e serviço social em grupo e individual, por meio de videochamadas. Do mesmo modo aconteciam os atendimentos de fisioterapia, além da distribuição de cestas básicas. Tudo isso até que um dia as atividades finalmente retornaram gradualmente, com horários reduzidos para cada turma, e eram feitas festas no estilo *drive-thru*. Só quase dois anos depois que retornaram as festas como antes, com muitas brincadeiras, comilança e boa música.

Vi o Remo Meu Rumo crescer em cada passo e alcançando várias conquistas, mas, além da prática, aprendi a persistir em meus objetivos; um dia VOCÊ CONSEGUIRÁ! Tenho muita gratidão ao Ricardo, Dra. Patricia, Candido, Fernanda, Moisés, Natália, César, Dani, enfim, são tantos que, se eu for mencionar o nome de todos, ficaria uma página inteira só de agradecimentos. Eu, daqui de Marília (a 600 quilômetros de São Paulo), estou escrevendo este texto e me preparando para uma grande mudança. Talvez, quando você estiver lendo este livro, eu já esteja em São José do Rio Preto (a 446 quilômetros), para melhorar a minha experiência na graduação. Encerro minha escrita neste capítulo dizendo: eu vi com os meus olhos o Instituto Remo Meu Rumo crescer, e que venham mais dez anos de muitos sonhos realizados por meio do esporte.

MANOEL LUCAS é jornalista e aluno do Instituto Remo Meu Rumo.

REMO MEU RUMO: UMA JORNADA DE CRESCIMENTO PESSOAL E COLETIVO

Karoline Ribeiro

A prática do remo é muito mais do que uma simples atividade esportiva; é uma jornada de crescimento pessoal, tanto individual quanto coletiva. Tive a oportunidade de iniciar minha jornada no remo graças à minha querida médica, a Dra. Patricia Moreno, uma das idealizadoras do projeto, que me indicou em 2010 ao Clube Pinheiros, onde permaneci por dois anos, até que problemas pessoais me levaram a sair.

Desde aquela época, a Dra. Patricia já tinha o sonho de criar um Instituto não apenas para seus pacientes, mas também para outras crianças e jovens com deficiência. Seu objetivo era introduzi-los no esporte, proporcionando experiências enriquecedoras e tirando-os temporariamente do ambiente hospitalar, que pode ser exaustivo.

Em uma consulta subsequente, a Dra. Patricia me informou que seu sonho se tornara realidade ao lado do seu marido Ricardo, e o Instituto havia sido inaugurado, beneficiando vários pacientes. Dado o meu amor pelo remo, que havia desenvolvido durante meu tempo no Clube Pinheiros, eu prontamente pedi para fazer parte dele, e ela aceitou de imediato. Estou no Remo Meu Rumo desde 2013.

O que me motivou a ingressar no Instituto foi o profundo amor que desenvolvi pelo esporte. Logo ao entrar no outro clube, percebi que o remo oferece muito mais do que apenas exercício físico. Ele proporciona a oportunidade de vivenciar o trabalho em equipe, de se relacionar com outras pessoas e entender que, para mover um barco, é necessária uma colaboração harmônica. Isso me permitiu conhecer novas pessoas e fazer amizades.

Uma das razões pelas quais permaneço no Instituto é o senso de acolhimento que encontrei lá, algo que não havia experimentado em nenhum outro lugar. Recebo apoio dos profissionais em diversos aspectos, o que faz sentir que pertenço a um grupo.

O Remo Meu Rumo não se limita a oferecer uma atividade física; ele me ensina valores como empatia, ao me permitir compreender as limitações e desafios dos outros e compartilhar o que aprendi. O Instituto despertou em mim um amor pelo remo que me faz querer estar lá todos os dias.

Uma das lições mais preciosas que aprendi no Instituto é que minhas limitações não me definem; ao contrário, posso superá-las a cada dia. Seja na fisioterapia, seja no barco-escola ou em qualquer outro lugar, eles me mostraram que sou capaz de realizar coisas que jamais imaginei.

Ensinaram que minha deficiência não é um obstáculo intransponível e que sou uma pessoa incrivelmente capaz. O Remo Meu Rumo contribuiu para a melhoria da minha comunicação, da minha aceitação, algo desafiador para uma pessoa com deficiência. Também me ajudou a compreender melhor o meu corpo e a encontrar equilíbrio emocional.

Sou profundamente grata, pois percebi que minha deficiência não é um rótulo, mas uma direção para superar desafios. Não tenho palavras para expressar o amor inexplicável que sinto por este lugar, que está gravado em meu coração de maneira permanente.

> **KAROLINE RIBEIRO** é aluna do Instituto Remo Meu Rumo e formada em tecnologia oftálmica.

FISIOTERAPIA NO INSTITUTO REMO MEU RUMO

Fernanda Gea de Lucena Gomes

Ao longo desses dez anos de Instituto Remo Meu Rumo (IRMR), muitos profissionais e estudantes de Fisioterapia tiveram a oportunidade de vivenciar um dos trabalhos mais lindos e efetivos dentro da prática de remo e canoagem adaptados para crianças e adolescentes com deficiência, seja como voluntários, seja estagiários ou profissionais.

Particularmente, já são sete anos acompanhando o desenvolvimento da área de fisioterapia no IRMR. Iniciei minha atuação no Instituto como voluntária em 2016, e tenho verdadeiro apego e gratidão pelo trabalho voluntário. Não tem como começar a falar do meu amor pelo Instituto sem antes mencionar a paixão pelo voluntariado.

O trabalho voluntário é uma demonstração genuína de amor e dedicação ao próximo. Ser voluntário é ter o desejo de fazer e querer o bem, de apoiar causas que são importantes e realmente ter a intenção de contribuir para a sociedade e fazer a diferença na vida das pessoas. Esse ato de solidariedade e empatia nos faz colocar o bem-estar do próximo acima dos nossos próprios interesses. É ainda uma oportunidade única para compartilhar habilidades, conhecimentos e experiências. A infinidade de benefícios que o voluntariado proporciona é maravilhosa. Torna-se um compromisso extremamente edificante para quem o exerce desenvolver um propósito, construir habilidades, criar conexões sociais e melhorar o bem-estar emocional; realmente provoca um sentimento de gratidão e satisfação pessoal que fica até difícil descrever em palavras.

Em minha trajetória como voluntária, busquei, desde a graduação, participar de alguma forma de projetos que necessitavam de voluntários. Antes do IRMR, atuei como voluntária em um projeto de canoagem para pessoas com deficiência na represa de Guarapiranga, em São Paulo, e desde então me identifiquei com a área de esportes aquáticos adaptados.

O Instituto Remo Meu Rumo sempre valorizou e enfatiza a importância dos voluntários na organização, contando com seu apoio desde sua fundação, em 2013.

No IRMR, tive a oportunidade de ter um contato maior com crianças e adolescentes com algum tipo de deficiência, física ou intelectual, atuando diretamente na reabilitação por meio do esporte adaptado. Sempre me identifiquei com a área de neurorreabilitação, mas foi só quando comecei a atuar como voluntária no Instituto que essa confirmação se tornou um propósito em minha carreira. Fui convidada a fazer parte da equipe multidisciplinar de saúde do IRMR no projeto "Remar é muito mais que um esporte", apoiado pela Lei de Incentivo ao Esporte. Busquei me especializar na área de fisioterapia neurológica infantil pela Universidade Federal de São Paulo (Unifesp) e a me envolver mais com a área científica ao publicar alguns artigos pelo Instituto.

O papel do fisioterapeuta no IRMR vai muito além de reabilitar funções e movimentos do corpo. Somos também educadores e incentivadores da qualidade de vida. Sabemos que a fisioterapia é muito importante na vida das crianças e adolescentes com deficiência física, que em muitos casos iniciam o tratamento ainda bebês. A fisioterapia, aliada ao amor e à dedicação, desempenha um papel fundamental no atendimento de crianças e adolescentes com deficiência. Por meio desse amor e cuidado, o fisioterapeuta incentiva a criança a vencer suas limitações, desenvolver habilidades motoras e alcançar seu potencial, sempre utilizando uma abordagem humanizada, permeada pela empatia e compreensão.

Acredito que o maior objetivo da fisioterapia no Instituto seja desenvolver junto ao aluno mecanismos para melhorar sua qualidade de vida, promovendo autonomia para remar um barco, por exemplo, e consequentemente adquirir alguma independência em sua participação no ambiente.

Há essa preocupação em nortear nossas condutas terapêuticas de acordo com os conceitos da Classificação Internacional de Funcionalidade (CIF), um modelo que qualifica a "importância de focar em atividade, participação e nos aspectos contextuais da vida das pessoas, ao invés de apenas oferecer terapias destinadas a 'consertar' deficiências nas estruturas e funções do corpo" (Furtado et al., 2021).

Gradativamente, a participação tem sido considerada um dos fatores mais importantes para crianças e adolescentes com deficiência. "A participação é um conceito complexo e multidimensional, que inclui tanto atendimento (diversidade e frequência) e envolvimento (a experiência de estar 'no momento')". Crianças e adolescentes com algum tipo de deficiência, seja ela física, seja intelectual, são mais propensos a ter uma menor participação no lazer ou em atividades físicas como esportes e recreação física, quando comparados com neurotípicos (Souto et al., 2023).

Observamos a importância da participação na qualidade de vida dos alunos e buscamos conduzir o atendimento fisioterapêutico baseado nos valores do esporte que norteiam a metodologia do IRMR, como confiança, disciplina, equilíbrio, trabalho em equipe, autonomia, amizade, dedicação e superação. O IRMR proporciona esses valores a todos os seus alunos e ainda conta com um ambiente cercado por uma natureza exuberante, incomum em uma cidade tão urbana, que é a Raia Olímpica da USP.

Acolher uma criança com deficiência, bem como sua família, proporcionar uma experiência enriquecedora e tão singular como a prática de remo e da canoagem, foi o que me encantou desde o primeiro contato que tive com o Instituto. As crianças, os adolescentes e os jovens adultos atendidos não são apenas nossos "alunos"; nos envolvemos com cada um deles, com suas histórias de vida, com sua família, preocupando-nos com suas particularidades em meio a um diagnóstico que por vezes torna-se desafiador ou limitante, tudo isso com o olhar carinhoso de uma organização que realmente se preocupa com o outro. Isso é o que me entusiasma e o que me motiva a ser melhor a cada dia, como profissional, como pessoa e, recentemente, como mãe.

Nós até podemos gerar algum impacto na vida dos alunos, mas são eles que enchem nossos corações e nos presenteiam quando testemunhamos eles adquirindo confiança, independência, novas habilidades, fazendo amigos, criando vínculos, enxergando que podem sim ter um futuro, que podem não apenas sonhar, mas também ir atrás dos seus objetivos.

São muitas histórias lindas e positivas ao longo desses sete anos para contar, mas me lembro de três especificamente, que ilustram o que relatei. A primeira é de um aluno de nove anos, cadeirante, que me contou que a primeira vez que ele tomou açaí foi em uma das festas promovidas pelo IRMR (que sempre conta com doação de açaí pela Oakberry). O outro aluno, deficiente físico, de vinte anos, optou por não usar o transporte gratuito da prefeitura, o "Atende" (que busca o aluno em sua residência e o deixa no local onde irá realizar a atividade), até o Instituto; ele queria ir de ônibus, pois nunca havia saído de casa sozinho e estava superfeliz em fazer isso. O terceiro aluno, de 26 anos, tem uma doença progressiva e eu o atendi remotamente durante a pandemia. Ele estava perdendo a força muscular do tronco em razão da pausa nas atividades. Após a pandemia, a mãe fez questão de vir me dar um abraço apertado e agradecer pelo atendimento. Ela disse que só eu conseguia fazê-lo treinar a marcha no corredor da residência deles.

Essas são apenas algumas das centenas de histórias que me emocionam e que me ensinam cada vez mais sobre empatia, equidade, inclusão, perseverança e amor ao próximo. Anseio por uma sociedade mais justa e inclusiva para todos, com políticas públicas e ações que garantam a igualdade de oportunidades e o respeito aos direitos das pessoas com deficiência. Que cada vez mais possam existir organizações sérias, competentes e dedicadas como o Remo Meu Rumo, que facilitam a inclusão e promovem qualidade de vida para as pessoas com deficiência.

REFERÊNCIAS

FURTADO, Michelle A. S. et al. Fisioterapia em crianças com paralisia cerebral no Brasil: uma revisão de escopo. *Developmental Medicine & Child Neurology*, set. 2021. Doi: 10.1111/dmcn.15094.

SOUTO, Deisiane Oliveira et al. Practitioner-led, peer-group sports intervention combined with a context focused intervention for children with cerebral palsy: a protocol of a feasibility randomised clinical trial. *BMJ Open*, jan. 2023. Doi: doi:10.1136/bmjopen-2022-068486.

FERNANDA GEA DE LUCENA GOMES é fisioterapeuta no Instituto Remo Meu Rumo (IRMR), graduada em Fisioterapia pela Universidade Metodista de Piracicaba (2006), especialista em Fisioterapia Respiratória em UTI e Ventilação Mecânica com ênfase em PO Cardíaco (Caps-Unicapital, 2008), especialista em Intervenção Fisioterapêutica nas Doenças Neuromusculares (Unifesp, 2019). É classificadora New de Para-remo pela Federação Internacional de Sociedades de Remo (Fisa) e pelo Comitê Paralímpico Brasileiro (CPB). Tem diversos cursos na área de Fisioterapia Pediátrica. Fisioterapeuta no IRMR desde 2016, publicou artigos científicos pelo Instituto.

REMO MEU RUMO: IMPULSIONANDO SONHOS

Anael de Sousa Oliveira

"O sucesso não acontece por acaso.
É trabalho duro, perseverança,
aprendizado, estudo, sacrifício e,
acima de tudo, amor pelo que você está
fazendo ou aprendendo a fazer."
Pelé

Conheci o Instituto Remo Meu Rumo através de uma amiga da minha mãe, cuja filha era aluna. Eu havia acabado de perder meu pai e estava me isolando muito dentro de casa. Não sabia da existência do Instituto, muito menos tinha ouvido falar sobre o esporte remo. Frequentar o Instituto foi uma forma de sair um pouco de casa e vivenciar outras coisas, ter novas experiências.

Iniciei como aluno em 2016, aos dez anos. Nesse mesmo ano ocorreram as Olimpíadas no Brasil, e por causa desse evento descobri a existência das Paralimpíadas.

Eu gostava muito do ambiente do Instituto, que, para mim, era algo totalmente novo e me despertava a curiosidade. Nunca havia participado de nada parecido, me intrigava como seria remar e ao mesmo tempo me sentia muito bem quando frequentava o Instituto.

Lembro de quando fui para a água pela primeira vez; o barco a remo era uma *yole* feita de madeira. Para mim era algo totalmente novo e uma sensação estranha. Quando eu estava no barco, fazia um movimento mecânico, automático, da forma como fui instruído. Enquanto eu remava não sentia o barco mexer, até que um dia o professor pediu para que eu e outro aluno ficássemos sem remar, enquanto os outros dois alunos remavam. Aí sim pude perceber e sentir o movimento do barco.

Eu sempre sentava na frente, na posição de voga, acreditando o ritmo do barco, e à minha frente ficava o timoneiro, que passava algumas orientações e direcionava o barco. O atendimento dos professores era ótimo: eles se esforçavam para me incluir em todas as atividades propostas. Ter vivenciado o remo e depois seguir para outro esporte, como o futebol, me ensinou alguns valores que o esporte proporciona, mas acredito que o principal foi trabalhar por um objetivo.

Eu escolhi o futebol por vários motivos, e o principal deles foi o sonho de ser jogador. Iniciei aos onze anos, treinando com amigos que estudavam comigo, o que contribuiu muito para o meu desenvolvimento. Lembro que em 2016 foi quando comecei a escutar jogo de futebol. "Assistia" muito ao Palmeiras, meu time de coração; tive influência de um primo que era muito palmeirense e me convenceu a torcer pelo Palmeiras também. Minha primeira camisa foi um presente do Tio Ricardo do Remo Meu Rumo.

Enquanto eu brincava com a bola, ia falando o nome dos jogadores do Palmeiras daquela época, sabia todos os nomes de cor. Em 2018 conheci o futebol de cinco, que atualmente se chama futebol de cegos, e iniciei no Centro de Treinamento Paralímpico, na Escola do Comitê. O futebol de cegos é muito difícil de ensinar; leva-se em torno de um ano até dois para conseguir jogar de fato. Eu comentava com meus colegas: será que vou conseguir jogar igual a eles (os atletas da Seleção)? Mas eu me saí bem e aprendi rapidamente a jogar. Em 2019, iniciei nos jogos escolares e em 2020 já estava na Seleção de base.

O futebol me proporcionou muitas coisas. Fui campeão do Grand Prix da França em 2022, campeão dos Jogos Parapan-Americanos na Colômbia em 2023 e campeão pela Seleção principal do Grand Pix de São Paulo em 2023. Acredito que o futebol ainda vai me proporcionar grandes conquistas.

Atualmente jogo no APADV, time de São Bernardo do Campo, e os treinamentos ocorrem no Centro Paralímpico; a maioria dos campeonatos acontece lá. A Seleção de base convoca atletas do Campeonato Juvenil e aí vamos subindo de categoria.

Em 2022 cheguei a treinar quatro vezes por dia, com a Seleção de base e com a principal. Minha meta para 2024 é ganhar a série B e, consequentemente, subir para a série A. Minha meta a longo prazo é ser campeão brasileiro e participar dos Jogos Paralímpicos em 2028. Tenho como inspiração para seguir esse sonho todos os atletas que já foram campeões paralímpicos, pois eles chegaram aonde eu quero chegar.

Tive a oportunidade de jogar na Seleção Brasileira de Futebol de Cegos na minha estreia como jogador. Joguei com três atletas da Seleção, pessoas que me inspiravam, e acabei fazendo parte do mesmo time que eles.

Atualmente minha rotina de treinamento se resume a dois treinos por dia, entre treinos com bola e na academia. Além das fases de treinamento da Seleção Brasileira, durante uma semana por mês passamos por testes, avaliações e treinamento direcionado.

Gostaria de deixar um recado para as crianças e jovens com deficiência do Instituto Remo Meu Rumo: aproveitem a oportunidade que o esporte oferece, pois é um dos únicos ambientes nos quais o que vale é apenas o seu esforço.

ANAEL DE SOUSA OLIVEIRA é ex-aluno e tem dezessete anos. Hoje joga na Seleção Brasileira de Futebol de Cegos.

UM NOVO TEMPO, UM NOVO RUMO...

Moisés Laurentino

Minha história no Instituto Remo Meu Rumo, o IRMR, começa um pouco antes de meu ingresso na instituição, lá em 2014... Esse foi um ano no qual passei por desafios pessoais que me levaram a uma mudança de *mindset*, o que envolvia a necessidade de novos rumos em minha vida e, principalmente, na carreira profissional, me fazendo migrar da área comercial para a área da saúde, sendo necessário o investimento em um novo empreendimento pessoal.

Resolvi me tornar fisioterapeuta. A ideia se mostrou bem-sucedida desde o início, pois foi onde me encontrei, e já iniciei, no primeiro semestre da graduação, meu desbravamento pelo mundo científico. Isso foi bom, pois, do alto dos meus 38 anos, não havia tempo a perder, afinal o tempo é o nosso maior ativo e não se recicla...

Foi então que, já próximo ao final do curso, fui convidado a conhecer o IRMR, e dele participar como estagiário. De início não me pareceu uma proposta muito interessante, pois se tratava de uma atividade ao ar livre e, em razão do albinismo e da necessidade de fotoproteção, isso se mostrava inadequado. Porém, Ricardo Macéa, nosso diretor-executivo, insistiu em me ceder a oportunidade de atuar internamente, não me expondo aos raios solares, viabilizando minha participação.

Essa oportunidade me fez passar pelo último ano da graduação mais bem preparado e com perspectiva de um início profissional promissor, tornando-se, sem dúvida, um grande marco acadêmico. Logo no início, me embrenhei no meio científico, incentivado pela Dra. Patricia Moreno, que em mim acreditou e creditou atribuições tanto no IRMR quanto, na condição de assistente de pesquisas, no Instituto de Ortopedia e Traumatologia da Faculdade de Medicina da USP, o IOT.

Foi no IOT, um dos parceiros acadêmicos do IRMR, que tive um contato vigoroso com o ambiente ambulatorial hospitalar. Por pertencer à Faculdade de Medicina da USP, o IOT é sem dúvida um centro científico formador dos melhores profissionais de ortopedia e neuro-ortopedia. Foi lá que encontrei, e também encaminhei, muitos alunos do IRMR, proporcionando importante transição entre o ambiente do hospital e a reabilitação, ou mesmo a habilitação de crianças e adolescentes, um diferencial que talvez não encontrasse em outro lugar. E ainda termos mais história com o IOT...

A equipe de fisioterapia do IRMR, composta por profissionais, estagiários e voluntários, habilita crianças e jovens para a prática do remo e da canoagem, sendo a facilitadora dessa inclusão, não olhando apenas as limitações, e sim as possibilidades que cada um apresenta. Ofertar essa oportunidade é o mote do Instituto: incluir pessoas com deficiência que por vezes se consideravam destituídas da prática esportiva, simplesmente por serem quem são, e fazer do remar, outrora algo improvável, uma atividade possível e transformadora.

Não são raros os depoimentos de pais e responsáveis sobre a melhora da qualidade de vida dos alunos no dia a dia: aumento de função, de participação, melhora do humor... Isso é algo que vai além das paredes do IRMR (ou das margens da Raia, por assim dizer). Tudo fica melhor quando se inclui, pois a inclusão em um esporte reforça o sentimento de realização e pertencimento.

Eu também vivo esse pertencimento. Seja pela insistência de Ricardo no início, seja pelos créditos de Dra. Patricia, o fato é que se abriram janelas de oportunidades para um ambiente acolhedor e participativo, algo que pode ser considerado inspirador para outras pessoas, sobretudo aos alunos do IRMR: acreditar e persistir em seus objetivos.

Meu objetivo, desde a faculdade, era me tornar um mestre acadêmico. É aí que a parceria com o IOT volta a evidenciar sua importância. Durante a pandemia de covid-19, momento notadamente desafiador a todas as populações, o IRMR prestou atendimento a distância a todos os seus alunos, e isso representou a possibilidade de uma nova pesquisa que avaliasse tal atendimento e possível melhora na qualidade de vida dos atendidos. Foi então que surgiu, sitiado no IOT, o estudo "Impacto do isolamento social na saúde física e psíquica de adolescentes com deficiência participantes de um projeto social esportivo durante o enfrentamento da covid-19", para a obtenção do título de mestre no curso de Pós-Graduação em Ciências do Sistema Musculoesquelético da Faculdade de Medicina da Universidade de São Paulo. Após o fim da pandemia e do isolamento, houve a defesa da dissertação e a obtenção do tão desejado título.

Obviamente essa não foi uma conquista solitária. Toda a equipe multidisciplinar se envolveu na aplicação da pesquisa. O trabalho em equipe é extremamente valorizado e incentivado no IRMR, por isso os alunos são avaliados e cuidados de forma detalhada. A qualidade de vida é a prerrogativa máxima, haja vista que suas questões podem ser complexas e multifacetadas. Com isso, obtém-se melhor qualidade geral dos cuidados prestados.

Além disso, aprendemos uns com os outros e acessamos uma riqueza de informações e vivências que jamais aprenderíamos de outra maneira. Isso me enriqueceu de forma pessoal e profissional, algo fundamental para uma vida equilibrada e gratificante, que me ajuda a construir laços sólidos, relacionamentos saudáveis e um senso de propósito e significado.

Sou grato por poder usar minhas mãos para outras mãos abençoar, e o Instituto Remo Meu Rumo faz parte dessa história transformadora de vidas. Seja melhorando a qualidade de vida dos alunos e suas famílias, seja contribuindo com o trabalho multidisciplinar da equipe, seja ensinando os estagiários (e futuros colegas), tenho aprendido a navegar cada vez mais por novos caminhos, novos rumos.

MOISÉS LAURENTINO é fisioterapeuta no Instituto Remo Meu Rumo (IRMR), formado pela Universidade Nove de Julho (Uninove), e mestre em Sistema Musculoesquelético pela Faculdade de Medicina da Universidade de São Paulo (FMUSP). No IRMR, também é responsável pelas pesquisas e pelo gerenciamento do sistema REDCap.

REMAR ME ENSINOU A ATRIBUIR SIGNIFICADO

Camilo Cristiano

Reconheço que, em determinados momentos, treinei por obrigação e fiz coisas sem muito entusiasmo. Afinal, quem nunca passou por isso, não é mesmo? Acredito que, antes de atribuir qualquer significado, é comum atravessar essa fase.

Entretanto, quando começamos a dar sentido às nossas ações, tudo se torna mais claro, inspirador e luminoso.

Em 2018, quando comecei minha jornada no Instituto Remo Meu Rumo, aspirava a ser tão habilidoso quanto Júlio Madeira, um colega que treinava havia mais tempo no mesmo horário que eu. Ele foi meu primeiro espelho, dando simples orientações que ainda permanecem vivas em minha memória. Sinto saudades daquela convivência!

Em 2021, após a pandemia, experimentei um período de desânimo. Sentimento perfeitamente normal e compreensível compartilhado por todos nós após um momento tão doloroso. No entanto, foi fundamental atribuir novos significados para tudo em nossas vidas e, para seguir em frente participando das atividades do IRMR, também foi preciso ressignificar principalmente a motivação e intrinsecamente o entusiasmo. Assim como a natureza se renova, perdendo suas folhas no outono, nós precisamos igualmente nos renovar.

Atribuir significado é ampliar nosso repertório de sabedoria, tornando-nos mais ricos em experiências.

Inspirações não surgem por acaso; elas existem para nos impulsionar adiante. Em resumo, atribuir significado define-se como dar um propósito às vivências passadas, transformando-as em motivação para o futuro. Isso aprendi com o remo, mas compreendi que tal conceito não se aplica apenas aos treinos. Pode ser aplicado ao nosso cotidiano. Atribuir significado, na minha opinião, é encontrar nosso próprio caminho dentro das técnicas e regras, incorporando ensinamentos e memórias de maneira autêntica.

Imagine se, em tudo o que fizemos hoje, lembrássemos de atribuir significado e compartilhássemos. Quanto de nossa autenticidade deixaríamos com muitos e quanto da influência dos outros levaríamos conosco?

O conhecimento é uma parte essencial da vida, e atribuir significados, em última análise, talvez tenha a ver com aceitar e valorizar as experiências que moldam nossa jornada e dividi-las.

Sou grato a todos os profissionais do Remo Meu Rumo, pois cada um deles acredita em mim. Percebo que eles vão além de seus papéis como professores, fisioterapeutas, educadores físicos, assistentes sociais e psicólogos. Todos eles infundem uma motivação única no projeto.

O Instituto Remo Meu Rumo não é apenas um galpão localizado na Cidade Universitária de São Paulo; ele é um guia para o futuro. Sinto que todos ali compartilham a determinação de avançar juntos.

O remo, em sua verdadeira essência, não é apenas um esporte; torna-se um estilo de vida. Mesmo aqueles que nunca remaram ao iniciar facilmente se apaixonam e se inspiram. Minhas experiências no remo me permitiram fazer grandes amigos e encontrar esperança na vida.

Para os observadores externos, pode parecer apenas "mais um projeto", mas, para quem está dentro, é evidente que ali a camaradagem e o desejo de superação não estão ligados à busca pela perfeição. Nem todos os dias são perfeitos, mas todos os dias são marcados por determinação e acolhimento, o que motiva qualquer um a buscar a vitória.

CAMILO CRISTIANO é aluno do Instituto Remo Meu Rumo.

NAVEGAR EM UM MAR REPLETO DE CORRENTES CONTRÁRIAS

Natália Angélica de Souza

Quando recebi o convite do Instituto para escrever sobre a saúde mental e o desenvolvimento socioemocional das pessoas com deficiência, rascunhei vários textos, mas nenhum deles me satisfez. Pareciam excessivamente técnicos e impessoais. Então, decidi compartilhar um pouco da minha prática no Instituto, fazendo conexões com temas relevantes que foram essenciais na minha jornada até aqui, tornando assim o texto mais autêntico.

Ao ingressar no Instituto Remo Meu Rumo, já possuía experiência no Terceiro Setor e no apoio a pessoas com deficiência intelectual e transtorno do espectro autista. No entanto, como de costume, ao iniciar em um novo ambiente, dediquei-me a observar e coletar informações locais, especialmente porque o trabalho da psicologia estava em construção na instituição.

Refleti em como buscaria desenvolver uma abordagem eficaz para a reabilitação emocional dos alunos, com o remo e a canoagem como alicerces. Como psicóloga do esporte, sustento a convicção de que o esporte constitui a melhor ferramenta para o desenvolvimento integral do indivíduo.

Durante uma das primeiras semanas de minha atuação, uma mãe procurou-me preocupada com sua filha, que havia demonstrado interesse por um colega na escola. A mãe temia que o colega se assustasse com os sentimentos da filha por ele e solicitou que eu a dissuadisse. Nesse momento, identifiquei uma possível demanda institucional e expliquei que todos enfrentamos situações de sentimentos não correspondidos e aprendemos a lidar com elas ao longo da vida. Embora compreendesse a preocupação da mãe, enfatizei que não tínhamos a certeza do desfecho da situação nem o direito de impedir a aluna de vivenciar essa experiência.

Esse episódio me fez lembrar de uma famosa citação sobre filhos que diz: "Filho é um ser que nos foi emprestado para um curso intensivo de como amar alguém além de nós mesmos, de como mudar nossos piores defeitos para darmos os melhores exemplos e de aprendermos a ter coragem. Isso mesmo! Ser pai ou mãe é o maior ato de coragem que alguém pode ter, porque é expor-se a todo o tipo de dor, principalmente o da incerteza de agir corretamente e do medo de perder algo tão amado. Perder? Como? Não é nosso, recordam-se? Foi apenas um empréstimo".

É importante lembrar que uma pessoa com deficiência pode ter limitações físicas, sensoriais ou intelectuais, mas isso não a torna incapaz de exercer sua autonomia e de viver uma vida plena. No entanto, a superproteção dos pais muitas vezes limita o desenvolvimento dessa autonomia.

Compreendo a preocupação dos pais, uma vez que seus filhos enfrentam desafios diários e podem ser vítimas de discriminação e exclusão. No entanto, é crucial encontrar um equilíbrio entre proteção e autonomia, permitindo que os filhos desenvolvam habilidades que os tornem independentes, assumam responsabilidades e tomem decisões de acordo com suas capacidades individuais.

Curiosamente, uma semana depois, realizei uma atividade com os responsáveis, com a ajuda de uma voluntária que se tornou uma parceira valiosa após se juntar à equipe. Realizamos uma dinâmica com um espelho dentro de uma caixa, na qual os responsáveis deveriam falar sobre a imagem que viram. Surpreendentemente, todos focaram apenas em seus papéis como cuidadores, esquecendo-se de que todos desempenhamos vários papéis na vida. É fundamental que os cuidadores também cuidem de si mesmos, pois muitas vezes eles se dedicam exclusivamente aos cuidados de seus filhos, negligenciando suas próprias necessidades e bem-estar.

Uma pesquisa da Associação Brasileira de Apoio à Pessoa com Deficiência Intelectual (Abrapi) mostrou que cuidadores que se cuidam têm mais disposição e paciência para lidar com as demandas das pessoas com deficiência. Além disso, eles se tornam modelos positivos de autocuidado, incentivando os outros a cuidarem de si mesmos.

Com o passar do tempo, foi-me atribuída a função de cuidar dos eventos do Instituto, e percebi que muitos alunos não tinham repertório para se divertir e socializar sem a aproximação dos pais.

É comum notar que pessoas com deficiência têm uma vida social mais reclusa, e explorar a socialização é crucial para seu desenvolvimento e qualidade de vida, pois é por meio dessas interações que elas constroem relacionamentos e experiências sociais significativas.

Olhando minha trajetória no Instituto, percebo que meu vínculo mais forte com os alunos e suas famílias se formou durante o período pandêmico. Nesse momento, muitos serviços foram interrompidos, mas o Instituto agiu rapidamente para manter o bem-estar, a qualidade de vida e a conexão entre todos, mesmo a distância.

Realizei atendimentos online, focando no desenvolvimento das habilidades socioemocionais das famílias e dos alunos. O desenvolvimento dessas habilidades é essencial, pois habilidades como empatia, comunicação eficaz e controle emocional desempenham um papel crítico na construção de relacionamentos saudáveis e na capacidade de enfrentar desafios sociais e emocionais.

Outro aspecto crítico notável durante o período da pandemia foi o desafio que todos enfrentamos, principalmente na adaptação a novos métodos de aprendizado, o que se mostrou ainda mais difícil para aqueles com comprometimento cognitivo.

Infelizmente, algumas instituições escolares não conseguiram se ajustar a essa nova realidade, privando alguns de nossos alunos de seu direito fundamental à educação. Em muitos momentos, eu me vi defendendo com veemência a ideia de que o direito à educação é universal, sendo nossa responsabilidade garantir que todas as pessoas, independentemente de suas capacidades, tenham acesso a uma educação de qualidade.

A educação desempenha um papel central na promoção de oportunidades iguais para pessoas com deficiência. Leis e políticas garantem que todos tenham acesso a uma educação inclusiva, que reconheça as necessidades individuais e forneça suporte adequado. Além de transmitir conhecimento, a educação também é um meio fundamental para promover inclusão social, autonomia e capacitação.

A partir desses atendimentos, os alunos começaram a buscar orientações sobre seus relacionamentos interpessoais, autonomia, inserção no mercado de trabalho e outras questões relevantes para seu desenvolvimento. Após o término do período pandêmico, o vínculo continuou, e percebo que muitos veem o Instituto Remo Meu Rumo como uma sólida rede de apoio em várias frentes.

Infelizmente, a cada triagem e orientação, me deparo com a cruel desigualdade e o preconceito enfrentados por essas pessoas, especialmente o capacitismo, que é a discriminação baseada em capacidades.

O capacitismo é uma forma de discriminação que coloca as pessoas com deficiência em uma posição de inferioridade, negando suas capacidades e limitando suas oportunidades, ou até mesmo exaltando suas dificuldades, retratando-as como heroicas.

Realizar um trabalho que demanda auxílio na superação de crenças profundamente enraizadas e frequentemente sustentadas por preconceitos, desigualdade e exclusão é um desafio diário. Essa jornada se assemelha a navegar em um mar repleto de correntes contrárias, em que a luta contra a maré cultural e social é constante.

Ao embarcar nessa missão, nos deparamos com barreiras que não apenas resistem à mudança, mas muitas vezes são alimentadas por estereótipos profundamente enraizados na sociedade.

Essa jornada requer resiliência, paciência e determinação, pois lidamos constantemente com sentimentos fragilizados por uma sociedade tão excludente e desigual. No entanto, ao persistir nesse caminho desafiador, podem surgir novas perspectivas para uma mudança significativa e duradoura, promovendo a igualdade, a justiça e a aceitação. E vejo o Instituto como uma engrenagem fundamental para essa transformação.

Embora o sentimento de impotência se faça presente, em virtude dos passos lentos que ainda damos, nos fortalecemos celebrando as vitórias ao longo do caminho.

Por fim, posso afirmar que é profundamente gratificante fazer parte da vida de tantas pessoas e contribuir para uma vivência mais justa e igualitária.

O amor pelo que faço e pela profissão que escolhi é o que me guia nesta jornada de cidadania.

NATÁLIA ANGÉLICA DE SOUZA é psicóloga do esporte com uma carreira de doze anos de atuação no Terceiro Setor. Especialista em Análise do Comportamento pela Universidade de São Paulo, tem pós-graduação em Neurofisiologia pela Faculdade de Medicina da Universidade de São Paulo (FMUSP) e em terapia ABA pela Universidade Federal de São Carlos (UFSCar). Acredita firmemente no poder do esporte como a ferramenta global mais eficaz para promover o desenvolvimento individual.

SÓ NÃO CONSEGUE QUEM DESISTE

Ana Beatriz A.MARques

Quando completei quarenta anos, tivemos nosso terceiro e tão desejado filho. A cereja do bolo, depois de nossas duas filhas amadas. Foi uma sucessão de alegrias e vitórias, um renovo em nossa casa e a certeza de orações respondidas.

Ele vem! Como um raio de sol da manhã, clareando nossas vidas.

E, com esse filho tão esperado, recebemos incluso nesse pacote um leque imenso de novas senhas, para novas portas. No primeiro ultra, exatamente aquele que é tão aguardado para que se materialize o som daquele sonho: SIM, é real, tem alguém sendo formado dentro de mim. Foi puro deleite para toda a nossa família ouvirmos o primeiro sinal de vida daquele coraçãozinho valente batendo forte ecoando ritmado, preenchendo toda aquela sala. Naquele dia, ouvimos também a sentença do médico:

— Repouso total para que não haja nenhum risco de perda da gestação.

Foram longos dias deitada, olhando para as sombras da persiana no teto, olhando a grafia das árvores sendo desenhada na parede entre claros e escuros, enquanto se tecia uma vida no meu ventre. Na consulta seguinte, após a conclusão do período necessário de três meses de repouso previsto, festejamos com alegria a vitória da vida avançando e tomando forma, até que veio o ultrassom morfológico carregando nova sentença:

— Seu bebê tem uma má-formação cardíaca e, ao que tudo indica, provavelmente tem um cromossomo a mais no par 21, trissomia do 21, popularmente conhecida por síndrome de Down.

A gravidez desse nosso rebento foi uma sucessão de desafios e conquistas, sustos e superação do nosso valente Miguel, que desde sempre lutou forte. Quanto ele nos ensina, desde o início, sobre perseverança e esperança, sobre o firme fundamento das coisas que não se veem, se esperam.

Miguel nasceu a termo, com quarenta semanas. Ele tinha que vir e veio. E com ele um mundo de noVIDAde a ser aprendida e experimentada. Mergulhamos num admirável mundo novo, cheio de significados até então completamente desconhecidos.

Miguel teve seu peito aberto e seu coração operado — e o nosso também — para correção de CIV (comunicação interventricular) e de CIA (comunicação interatrial) aos três meses. Ficou na UTI por longos trinta dias, alcançou aquela fase quando os bebês começam a girar no berço e se locomover de lá pra cá. Mas ele, coração valente, estava imóvel e intubado, se recuperando de duas cirurgias em quinze dias.

Aqueles dias no InCor nos levaram a caminhos jamais percorridos, e reflexões que pautaram nossa vida. Ali fomos confrontados por tantas realidades e cuidados. Miguel desde seu nascimento foi assistido por fono, fisio, cardiologistas, médicos especialistas, terapeutas ocupacionais, exames de rotina e atenção dobrada. Temos nos empenhado em buscar possibilidades para a multiplicação dos talentos e desenvolvimento do nosso filho. Miguel vem nos ensinando a caminhar de maneira extraordinária, nos levando em átrios que jamais havíamos entrado.

Em um mundo pautado por alcançar metas grandiosas, Miguel nos ensina a celebrar o mínimo, ver conquistas imperceptíveis e reconhecer que o céu é o limite. Lembro de festejarmos no corredor do hospital, com brados de júbilo como se fosse gol de placa em final de Copa do Mundo com nossa pátria campeã, quando enfermeira, com sabor de vitória, vibrando, nos informou sobre a fralda pesada e aferida em balança, para checar a quantidade de xixi que Miguel tinha feito, um indicativo de que o líquido do pulmão estava sendo eliminado. Esse era um indício de cura e de que a alta estava a caminho. Nunca tinha celebrado algo que, *grosso modo,* nos parecia tão simples: urinar. Quantas coisas que a partir do nascimento do Miguel foram expostas a nós, a gratidão latente.

Conseguimos manter a amamentação exclusiva no peito até os seis meses. Durante o período da internação por sonda chegaram a ser ministrados apenas e tão somente 5 mililitros do leite que saía do meu peito e do coração do papai, e foi suficiente para sustentá-lo e cooperar para torná-lo quem ele é hoje. Miguel foi amamentado por um ano e quatro meses, melhor exercício de fono que ele poderia ter. Reconhecemos esse feito como um grande empenho e milagre que envolveu todos nós.

Nosso valente levou tempo para rolar no berço, sustentar o tronco, ficar de pé, caminhar, correr, pular. Nos empenhamos em alimentá-lo de maneira eficiente, passamos a compreender a comida como remédio, e assim tem sido ao longo destes anos. Pesquisamos e mergulhamos na característica de sua condição. Sua genética não define seu destino; buscamos de que forma poderíamos lhe oferecer a melhor condição de vida. Entendemos como vencer a tal da hipotonia, uma das características da síndrome de Down, e a atividade física sempre foi prioridade para proporcionar-lhe qualidade de vida. Entendemos, desde o início, a necessidade que Miguel teria em ser estimulado precocemente, e lhe ofereceríamos tudo o que estivesse ao nosso alcance.

Miguel foi exposto intencionalmente ao esporte desde muito cedo. Natação com poucos meses, e um programa espetacular chamado Prodhe (Programa de Desenvolvimento Humano pelo Esporte) no CEPEUSP (Centro de Práticas Esportivas da Universidade de São Paulo) desde a pré-escola. Miguel passava duas tardes de sua semana na USP aprendendo com esportes variados. Além de ser um estímulo excelente, o esporte sempre lhe possibilitou ser incluído de todas as maneiras, e foi lá que conhecemos o Remo Meu Rumo.

Foi uma virada de chave completa entrar na Raia, toda a nossa família foi alcançada. Não mais horas maçantes de terapias *indoor*, que eram exaustivas e repetitivas e que não obtinham o mesmo efeito que estávamos buscando: equilíbrio, pertencimento, disciplina, comprometimento, conquistas físicas e cognitivas. Agora Miguel estava no barco-escola! E nossa CASA completamente maravilhada com aquela nova senha; nos foi aberta uma porta, ou seria uma janela para o céu? Vento no rosto, céu azul, braços fortes estendidos e com remos ao alto! Uau!!!

Miguel chegou ao Instituto Remo Meu Rumo ainda como um menino pequeno. Ele, e todos nós, temos sido construídos ao longo de cada aula desse oásis. Exposto a novos desafios, todos eles cheios de embasamento e assistidos por profissionais competentes que esticam os seus músculos e a sua compreensão. Debruçaram-se sobre nosso filho. Vestiram a camisa da nossa Família. E, para nós, vermos Miguel vestir a camisa do Remo Meu Rumo é um prêmio. Somos um time de remadores. Estamos todos no mesmo barco. Essa canoa não vai virar, olê, olê, olá!

E cada olhar atento ao Miguel é um abraço e um beijo em nós, não apenas na nossa família, mas na nossa sociedade como um todo. O Remo Meu Rumo é polo trans-formador de Histórias. Construtor de oportunidades e vidas.

Miguel foi acolhido, escolhido, amparado, tratado e desafiado. Estar no mesmo barco é uma simbologia das mais eficientes para a inclusão. É fundamental olhar o próximo. Qualquer gesto do remador envolve todos; nenhum movimento é dissociado ou individual. Todos por um, um por todos. Uma lição ainda mais eficiente do TODO, um antídoto para uma sociedade tão ensimesmada.

Ficamos ali vendo os remadores se afastarem do píer. No começo, quando entrou no barco, ele seguia ainda tão sem sincronia, e, à medida que treinam e são ensinados, avançam em obter resultados em comum. Miguel, hoje com dezoito anos completos, está inserido no mercado de trabalho em uma empresa multinacional, e as aulas de cooperação e equipe têm sido de grande valia nesse momento. Miguel fez no Senac o curso Pet Trampolim, preparatório para ingressar no primeiro emprego assistido. Sua autoconfiança nas entrevistas para conquistar a vaga foi notada. E dividimos essa vitória com o tanto que a experiência com remo o tem influenciado para torná-lo sociável, oportuno e competente para as demandas apresentadas. Miguel está sendo preparado para remar em tempestade em águas mais profundas. Reconhecemos e agradecemos toda a participação tão efetiva do Remo Meu Rumo.

Encontramos aliados para ensinar nosso filho a estar alinhado, e saber a hora oportuna de subir e descer do barco é lição pra vida toda. Prestar atenção, estar alerta, olhar o próximo, ser equipe, ser time, ser um no todo. Senso de oportunidade: tem hora certa pra sair, pra entrar, senão o barco vira.

Meu marido e eu aprendemos tanto a poesia que é construída na Raia com esses remadores; é indescritível a sensação de autonomia de ver o barco que nosso filho rema se afastar até que nossos olhos não o alcancem mais. Há esperança naquilo que não se vê, naquele pedaço do rio limpo, às margens da Marginal, que parece mais um oásis, que os carros afoitos e apressados nem sequer imaginam que exista do outro lado do muro. Há um fôlego de vida cheio de esperança, ver os meninos sendo esticados a irem além das expectativas. Cadeirantes deixam nas margens suas cadeiras e ganham velocidade e autonomia com o vento em suas têmporas. Já presenciamos muita autoestima, tanto de remadores como de seus cuidadores, sendo completamente restaurada.

Somos completamente gratos pelo que o Remo Meu Rumo nos capacita. Essa é uma porta que a senha que Miguel trouxe debaixo dos braços nos entregou e abriu. Remo é um estilo de vida. E, a cada nova aula, recebemos o convite para conhecer diferentes perspectivas e alternativas.

Uma aula de inclusão não apenas de diferentes, mas de semelhantes que não se percebem. A partilha de pais e cuidadores, de pessoas ali comprometidas, com os professores abrindo horizontes indescritíveis. Há um ambiente de ajuda, partilha e acolhida.

Vejo um Miguel sendo forjado e lapidado. Um rapaz valente que não foge à luta, mas que conta com profissionais absolutamente apaixonados na arte de desenvolver potenciais. Seja dos remadores, seja dos familiares. Nossa família sabe bem quem está no barco do Miguel. As baterias de exames feitas com alunos e professores no hospital com a Dra. Patricia e equipe são uma das experiências mais gratificantes, permitindo entender o projeto do processo que envolve cada um deles. Que gratidão ser parte.

Longa vida, Remo Meu Rumo. Aonde nosso filho chegar, reconheceremos para sempre que vocês o ensinam a remar forte, a não desistir, e a manter ritmo, cadência e perseverança,

Só não consegue quem desiste. Vamos avançar! Esse barco não vai virar, vamos chegar na outra margem e alcançar a linha de chegada!

Com amor e profunda gratidão, Família Arruda Marques.

ANA BEATRIZ A.MARques é poetisa e mãe do aluno Miguel.

VITÓRIAS E MILAGRES: MINHA JORNADA COM MINHA FILHA

Romilda Moraes e Rubia Faustino

Minha história com minha filha é uma incrível jornada, repleta de descobertas e superações, uma jornada que começou na minha juventude, época em que éramos inocentes quanto às deficiências e desconhecíamos a beleza que existe nas diferenças. Lembro-me de ver bebês e crianças com síndrome de Down nas ruas, parecendo verdadeiros anjinhos, despertando minha curiosidade e meu desejo de entender melhor suas vidas. Enquanto observava essas crianças, sentia o anseio de interagir com elas, mas muitas vezes as mães as protegiam do mundo, ocultando seus rostos.

Eu era uma jovem independente, focada em minha carreira em uma grande empresa de confecção nacional, aproveitando minha vida sozinha e com planos que não incluíam casamento ou filhos. No entanto, o destino tinha outros planos para mim e, quando descobri que estava grávida, meu coração se encheu de felicidade, pois acredito que tudo na vida tem um propósito. O período de gestação foi uma montanha-russa de emoções, mas eu estava pronta para enfrentar o que viesse.

O dia em que minha filha nasceu trouxe uma reviravolta emocionante. A equipe médica hesitou em me contar que ela tinha síndrome de Down, temendo minha reação. Meus olhos se encheram de lágrimas, mas não eram lágrimas de tristeza, e sim de pura alegria. Finalmente eu teria a oportunidade de cuidar, abraçar e amar um anjinho como ela.

Minha jornada foi repleta de desafios, com idas constantes a hospitais e prontos-socorros pelas complicações de saúde nos primeiros anos de vida da minha filha. Ouvir os médicos e enfrentar a incerteza se tornou parte do nosso cotidiano. Minha família insistiu que eu precisava de um companheiro para compartilhar as responsabilidades, então me casei com o pai dela, mas, na prática, continuava a ser a principal cuidadora, enfrentando noites em claro e preocupações constantes.

Enfrentei desafios e barreiras, mas, ao longo dessa jornada, encontrei verdadeiros anjos que proporcionaram milagres e contribuíram para as vitórias da minha filha. Meus patrões foram compreensivos e generosos, permitindo que eu estivesse presente em consultas e terapias, como fonoaudiologia, fisioterapia e acompanhamento psicológico. Suas ações solidárias aliviaram o peso dos cuidados e das despesas, proporcionando um fôlego financeiro inestimável.

Apesar de ter o apoio da minha família e perceber o quando amam minha filha, nunca se ofereceram para ajudar ou levar minha filha às terapias. Entendi que essa jornada era solo e nunca entrei em conflito com aqueles que a olhavam de forma diferente. Encontrei pessoas mais compreensivas em meu caminho, pessoas que abraçaram minha filha com amor e compreensão, dando-lhe a aceitação que ela merecia.

Lembro-me de um episódio em que me transformei em uma leoa para proteger minha filha da discriminação. Ela voltou para casa triste depois de um abraço recusado por sua professora grávida, que temia que a síndrome de Down pudesse prejudicar seu bebê. Rapidamente, agi para garantir que minha filha não fosse mais afetada por esse preconceito, tomando medidas necessárias e assegurando que a professora compreendesse o valor de cada vida.

Minha trajetória continuou, e na mesma escola tive o auxílio inesperado de um motorista de van, que se ofereceu para levar minha filha para a escola todos os dias, o que aqueceu meu coração. Suas palavras de compreensão e apoio foram um lembrete constante de que a humanidade ainda possui corações generosos

Tive a sorte de encontrar indivíduos excepcionais em todos os meus empregadores, que compreenderam minhas necessidades e me permitiram cuidar da minha filha. E, quando precisei de ajuda financeira, um funcionário do órgão responsável pelo benefício concedeu-me assistência com empatia e compreensão, tornando-se um autêntico sinal de esperança em tempos difíceis.

Minha jornada nos levou a conhecer pessoas incríveis que nos guiaram para lugares onde minha filha seria aceita e amada. Foi assim que chegamos ao Instituto Remo Meu Rumo, uma instituição que se tornaria um farol de esperança para nós. Encontramos um ambiente acolhedor que nos fez sentir parte de uma grande família, e a paixão da minha filha pelo remo se tornou evidente. Ela se sente pertencente, amada e capaz de realizar coisas extraordinárias.

No Instituto, ela encontrou um espaço onde sua paixão se transformou em motivação e autoconfiança. Os idealizadores desse projeto também se tornaram guias em nossas vidas, proporcionando oportunidades que estavam além de nossas expectativas. Eles abriram as portas para minha filha e para tantas outras crianças, oferecendo possibilidades que superaram as previsões.

O Instituto Remo Meu Rumo desempenha um papel fundamental na jornada de jovens e crianças com deficiência, tornando possível acreditar em suas próprias habilidades. Estou profundamente grata por cada apoio que cruzou nosso caminho, trazendo milagres e vitórias na vida da minha filha. Acredito que a fé e o amor podem superar qualquer desafio, e nossa jornada é a prova disso. Continuaremos trilhando esse caminho de amor, superação e gratidão, e estou disposta a permanecer ao lado do Instituto, considerando-os também como anjos que realizam milagres na vida de inúmeros indivíduos e suas famílias. Juntos, continuaremos a escrever esta história repleta de amor, compreensão e aceitação.

ROMILDA MORAES é Mãe e responsável pela aluna Rubia Faustino.

SERVIÇO SOCIAL NO INSTITUTO REMO MEU RUMO

Angela dos Santos

O assistente social é um profissional interventivo, que está a serviço da defesa dos direitos, da cidadania e da justiça social, o que significa que toda ação desenvolvida por ele produz alteridades na realidade onde essa intervenção se efetua. Pode-se dizer que os assistentes sociais analisam as diversas situações relativas a vulnerabilidades e riscos sociais, exclusão e desproteção social, violação de direitos, entre outras, vivenciadas por pessoas, família, grupos e comunidades, e propõem o enfrentamento dessas demandas com ações que vão desde orientações, acolhimento e encaminhamentos individuais até a elaboração e a gestão de programas e projetos sociais que visam transformar aspectos da realidade das pessoas envolvidas.

Os profissionais de Serviço Social, conhecidos como assistentes sociais, atuam em diversas conjunturas, como hospitais, escolas, órgãos governamentais e não governamentais, entre outros, sempre buscando orientar a população para enfrentar seus desafios.

Para mim, ser assistente social é uma realização pessoal e profissional. Dentro do Instituto Remo Meu Rumo, posso visualizar o impacto na vida das famílias atendidas, acompanhar o progresso de cada criança e adolescentes. É muito gratificante empoderar essas famílias, e dar autonomia aos nossos alunos significa que estamos cumprindo o nosso papel.

Atuar com pessoas com deficiência envolve grandes desafios. O combate ao capacitismo é um deles, pois as pessoas com deficiências costumam ser rotuladas pela sua condição. Uma questão que trabalhamos muito com nossos alunos é a adversidade. Ao criar um ambiente que respeita as diferenças, realizamos atividades em que todos possam participar independentemente da sua condição, sem segregação e discriminação.

A atuação do assistente social no Instituto Remo Meu Rumo integra a equipe multidisciplinar em colaboração com outras áreas, compostas por psicólogo, professores de Educação Física e fisioterapeutas. Desenvolvemos um trabalho holístico inclusivo, sempre visando à saúde e ao bem-estar de nossos alunos e seus familiares.

É por meio do Serviço Social que as famílias têm o primeiro contato com o Instituto. Muitas delas são oriundas do Instituto de Ortopedia e Traumatologia do Hospital das Clínicas da FMUSP (IOT-HCFMUSP), Associação de Assistência à Criança Deficiente (AACD), Instituto da Criança e do Adolescente do Hospital das Clínicas da FMUSP (ICr-HCFMUSP), Hospital Universitário da Universidade de São Paulo (HU), entre outros. É realizada a apresentação do Instituto para a família e avaliação física do candidato à vaga. Se estiver apto, é encaminhado para a matrícula. Nessa fase é realizada uma avaliação socioeconômica, criando um banco de dados onde constam as principais informações sobre o aluno. Nesse momento também são apresentadas as normas do Instituto para os seus responsáveis.

Após a matrícula, a família passa a ser assistida pelo Serviço Social com o intuito de dar assistência e orientações conforme sua necessidade, como escuta qualificada, apoio emocional, auxílio para pedido de transporte, orientação sobre Benefício de Prestação Continuada (BPC) e encaminhamentos a serviços e programas, além da promoção da conscientização sobre direitos e combate à discriminação.

Preocupados com a saúde e o bem-estar das famílias atendidas pelo Instituto, muitas delas chefiadas por mulheres, demos início ao projeto Cuidando de Quem Cuida. Trata-se de encontros mensais nos quais oferecemos apoio psicossocial aos cuidadores, que são pessoas que dedicam parte do seu tempo a cuidar de sua família e de seus filhos com necessidades especiais.

Com o objetivo de promover o autocuidado, incentivamos os cuidadores a tirar um tempo para si mesmos, como praticar exercícios físicos, atividades relaxantes, automassagem, manter uma dieta saudável, e orientamos a procura de rede de apoio para que elas possam dividir suas demandas.

Cuidar de quem cuida é essencial para garantir que os cuidadores possam continuar fornecendo um apoio adequado e de qualidade às pessoas que necessitam de cuidados especiais.

O Instituto Remo Meu Rumo se preocupa não só com a reabilitação dos nossos alunos, mas também em prepará-los para vida. Pensando nisso, implementamos o projeto Virtudes Empreendedoras em parceria com o Instituto Alair Martins (Iamar), no qual preparamos nossos jovens para o mercado de trabalho de acordo com a Lei n. 8.213/91, também conhecida como Lei de Cotas, que obriga as empresas a preencherem de 2% a 5% das vagas do quadro de funcionários com pessoas reabilitadas ou com deficiência. Sabemos que as barreiras a serem enfrentadas são muito grandes, tanto da parte das empresas, por não possuírem acessibilidade e preparo para receber esse público, quanto pela falta de qualificação desses candidatos. Além disso, deparamos com a resistência em relação à perda do benefício, que passa a ser em sua maioria a única renda daquela família.

O Serviço Social é guiado pelos princípios éticos de justiça social, dignidade humana, respeito à diversidade e promoção do bem comum. Seu objetivo é criar uma sociedade mais igualitária e justa, garantindo que todos tenham oportunidade de viver com dignidade e qualidade de vida.

O Instituto Remo Meu Rumo contribui para um novo tipo de sociedade, mais igualitária e inclusiva, criando um ambiente saudável de acolhimento e empoderando nossos alunos para que eles sejam protagonistas da sua história. Encorajamos e fortalecemos nossas famílias trabalhando as suas fragilidades e proporcionando fortalecimento e qualidade de vida.

ANGELA DOS SANTOS é assistente social no Instituto Remo Meu Rumo.

AINDA SOU OS MEMBROS DO MEU FILHO, MAS ELE FLORESCEU

Maria do Socorro Lopes Coimbra

Quando meu filho nasceu, compreendi que Deus me havia confiado a missão de cuidar dele. Sem hesitar, abandonei todos os meus compromissos, incluindo um emprego que me trazia grande satisfação. Eu sabia que ele precisava de mim e estava disposta a estar ao seu lado pelo tempo que fosse necessário.

Desde então, em todos os lugares por onde passei, sempre que nos indicavam terapias que pudessem beneficiá-lo de alguma forma, nunca poupei esforços. Não importava se era longe, se não tínhamos transporte ou se estava chovendo. Eu buscava incansavelmente maneiras de ajudá-lo a progredir.

Quando ele era mais jovem, as terapias eram intensas. Houve momentos em que saíamos de casa cinco dias por semana. Em uma tarde exaustiva no fim da semana, enquanto eu empurrava sua cadeira de rodas por lugares que não eram acessíveis, uma vizinha me interpelou, questionando por que eu o levava para a terapia todos os dias, argumentando que ele não estava mostrando evolução alguma. Naquele momento, minha resposta saiu um pouco ríspida. Eu disse que não entendia o motivo de seu questionamento, já que ela não estava ajudando, e pedi que não fizesse mais comentários sobre algo que desconhecia. Eu via melhorias significativas nele.

Outro dia, meu filho mais velho também questionou por que eu dedicava tanta atenção ao Breno. Eu respondi perguntando se ele já havia considerado como seria andar e se alimentar com a ajuda de outra pessoa. Se já havia pensado em como é simples para ele colocar comida em seu prato, enquanto para Breno isso é impossivel. Eu disse a ele para não ser injusto com essas perguntas. Meu filho se calou e nunca mais questionou.

Somente eu sei dos avanços que Breno teve. Ele demonstrou comportamentos que eu nunca poderia imaginar, como me proteger das mais diversas maneiras e fazer exigências que me alertaram para a minha própria ingenuidade.

Quando me indicaram o Instituto Remo Meu Rumo, eu fui até lá e percebi o interesse dele pelo esporte. No Instituto, ele sorri, interage e tem profissionais que admira.

Após ingressar no Instituto, ele floresceu. Antes andava com a cabeça baixa e evitava estar perto de pessoas desconhecidas. Quando tínhamos visitas em casa, se escondia. Hoje em dia, interage, pede para sair à noite, vai a festas, socializa com as pessoas, conversa e expressa sua opinião.

Uma situação notável foi quando o Instituto fez um passeio e, pela primeira vez, ele participou sem que eu o acompanhasse. Naquele dia, dentro do transporte para o passeio, ele chorava. Meu coração apertava, e eu queria levá-lo embora. Mas, quando perguntei, com lágrimas nos olhos, se queria ir embora, ele afirmou que ficaria. Decidi deixá-lo e chorei muito. No entanto, quando ele retornou, estava radiante, dizendo que tinha adorado. Fiquei orgulhosa de sua coragem em enfrentar seus medos.

Hoje, ao olhar para trás, vejo um caminho repleto de desafios e conquistas, mesmo ainda precisando dos meus membros para atividades do cotidiano. E, apesar dos julgamentos e críticas, somente eu sei o que é melhor para ele. A entrada no Instituto Remo Meu Rumo foi como abrir uma porta para um mundo de possibilidades.

No Instituto, Breno encontrou alegria, percebeu que era possível socializar e ter confiança. É incrível testemunhar a transformação dele, e estou determinada a continuar apoiando-o em sua jornada.

MARIA DO SOCORRO LOPES COIMBRA é mãe do aluno Breno Coimbra.

MEU RUMO
Fabio Madia

Sempre olhei com enorme admiração para aquelas pessoas que acordavam cedo e iam à raia da USP para remar. Uma conexão mágica entre disciplina e foco, duas palavras que sintetizam meu aprendizado de conquista na vida.

Pratiquei esportes desde o segundo seguinte que saí da barriga da minha mãe. Para mim nunca foi questão nem de saúde, muito menos de performance, muito embora seja muito competitivo e tenha dado essa desculpa para justificar minhas manias de acordar às 4h30 para correr, mesmo em viagem nas férias com a família.

Esporte para mim é a melhor forma de me conectar com Deus. Uma mistura de meditação, incorporação, autoconhecimento, terapia e oração. É como disse Bill Bowerman: "Se você tem um corpo, você é um atleta".

Joguei muito futebol, num sonho naturalmente frustrado de ser jogador; joguei muito tênis, com a pretensão de uma dia poder jogar profissionalmente, mas seguramente o talento não esteve ao meu lado; nadei o máximo que pude para rapidamente perceber que um ser humano que não flutua não nasceu para nadar; fiz musculação como quem sabe um dia fosse ser Mr. Olym e já no primeiro levantamento de halter descobri que no máximo seria um visitante de Olímpia, a cidade conhecida pelo seu incrível parque aquático no interior de São Paulo.

Mas foi aí que eu corri...

Nesse momento, todo o restante se sintetizou em uma única paixão: correr. E, para seguir correndo, pilates para garantir que a minha hérnia de disco convivesse em paz com a minha rotina. E assim seguimos felizes, por quatro anos, alguns dos melhores da minha vida. Ainda sinto o cheiro da natureza e aquela conexão perfeita entre mim, Deus e Gaia, nossa amada Mãe Terra.

Em novembro de 2016, quando completei quarenta anos, fui celebrar com amados amigos em Buenos Aires. Lá, além do privilégio e alegria da companhia deles, fiz um texto que chamei de "Manifesto dos meus 40", que entreguei a cada um deles, aos meus pais e filhos.

Nele, além de muita gratidão e amor, expressei o real desejo de grandes mudanças na minha vida. Sentia uma necessidade de ser e estar que naquele momento não sabia explicar. Uma angústia por não ser aquilo que vim para ser e uma frustração por não estar aqui em minha plenitude. Papo cabeça, né? Eu sei, mas calma que na sequência tudo fará sentido, confie.

Meses antes de celebrar meus quarenta anos, tive uma fratura de esterno fazendo uma sessão de pilates. Fui ao médico, ele pediu alguns exames e me recomendou uma biópsia, mas, como os outros exames estavam bons e eu tinha complexo de Super-Homem, não fiz. Calcificou e vida que segue.

Em maio de 2017, comecei a sentir muito cansaço, frio e, principalmente, dificuldade de digestão. Na época procurei um gastroenterologista, que fez endoscopia e descobriu uma pequena gastrite. Comecei o tratamento, mas os sintomas não melhoravam.

Então procurei uma médica — clínica geral — que pediu uma série de exames de sangue, e depois do resultado só lembro que estava internado diagnosticado como paciente renal

Magic Paula. Campeã mundial de basquete, medalhista olímpica e fundadora do Instituto Passe de Mágica.

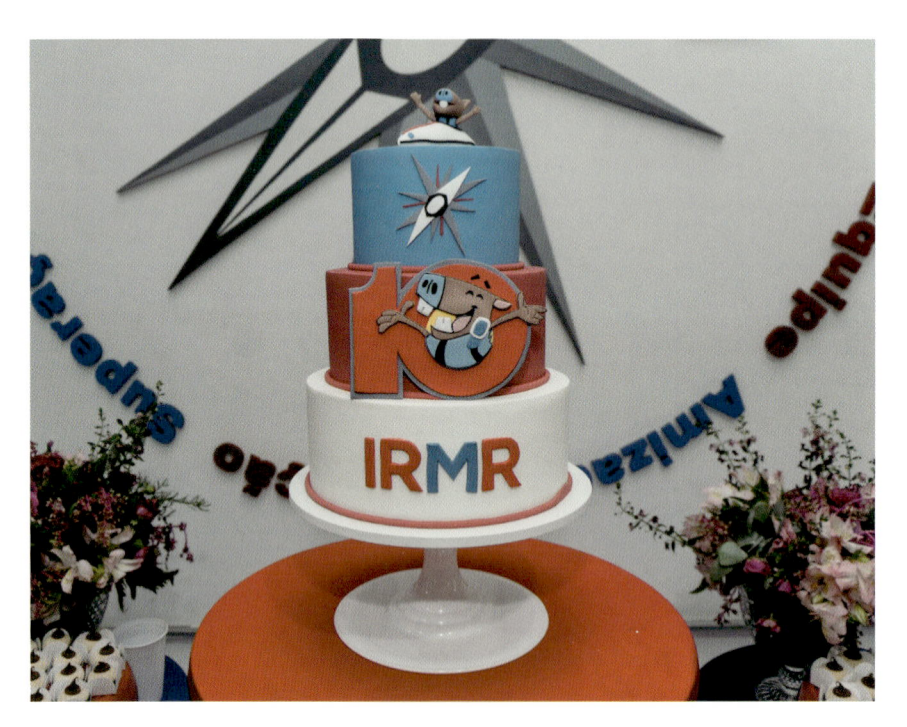

Comemorando 10 anos de inclusão de centenas de alunos.

Aniversário de 5 anos do Instituto Remo Meu Rumo!

Voluntário tatuador Andy e aluna Lorena.

Sopro de Alegria, ONG de palhaços.

Aluna Rúbia celebrando com Diogo Rezenda Caldeira, aluno número 01, ex-estagiário e hoje Professor de Educação Física.

Aluna Karoline e Professor Cesar, celebrando suas conquistas.

Profa. Daniela, comemorando com alunos em festa.

Nosso mascote, a capivara CAÊ, e aluna Manoela.

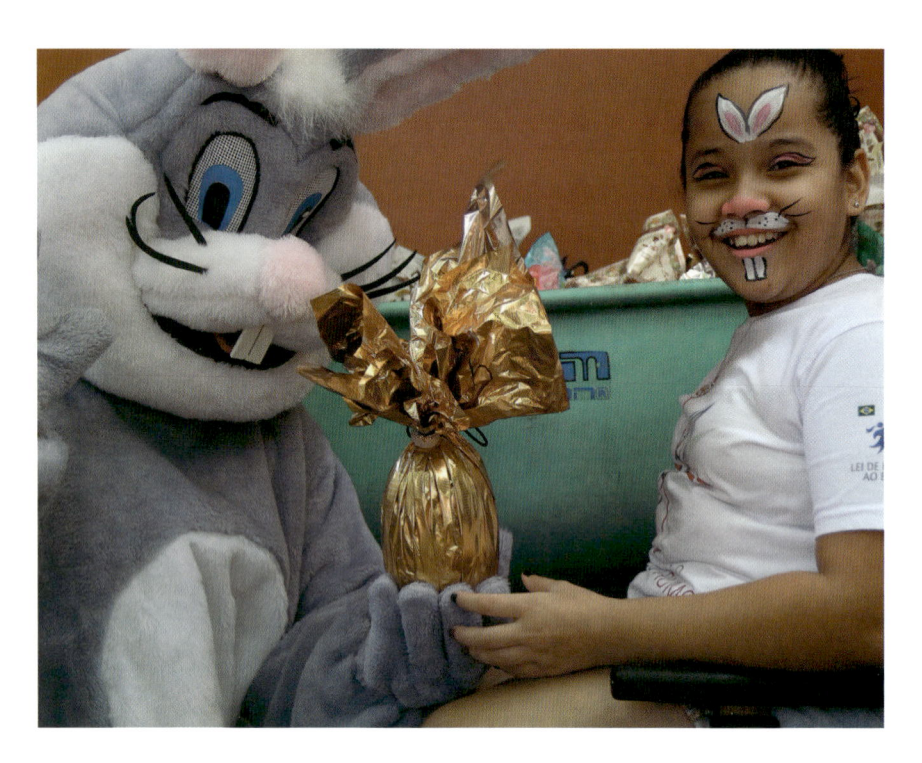

Páscoa! Alunos Nicolly e Isis recebendo Ovos de chocolate do nosso lindo coelho.

Celebrando o Amor: Woody, ONG Sopro de Alegria.

Aluna Mariana, sua mamãe (à esquerda) e aluna Fernanda (à direita).

Aluna Emanuelly preparada para remar!

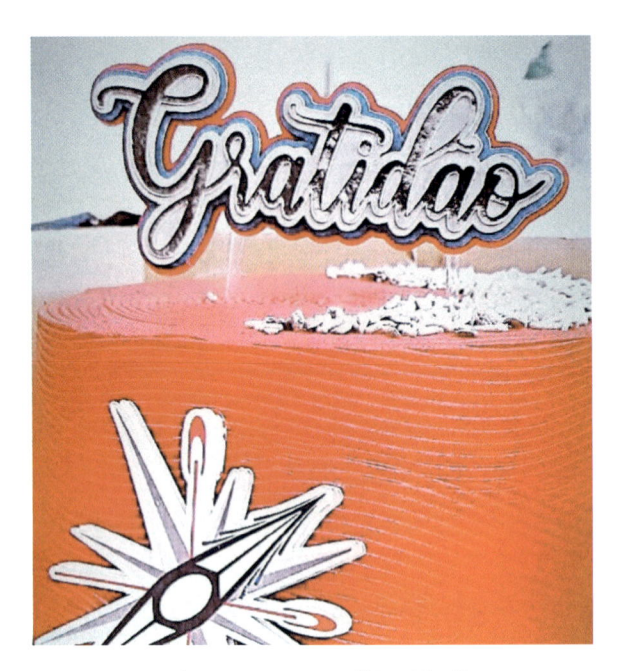

Bolo comemorativo "Gratidão".

Barco comemorativo IRMR.

Alunas Mariana e Fernanda se preparando para remar.

Patricia Moreno ensinando o gestual técnico no barco-escola.

Barco Four na água, timoneado pelo remador Matheus Antiga.

Ricardo Marcondes Macéa e Woody / Sopro de Alegria.

crônico e fazendo hemodiálise três vezes por semana durante quatro horas. O motivo? Oito meses depois consegui o veredito: mieloma múltiplo, um câncer raro, que atinge aproximadamente 1% dos pacientes oncológicos no mundo e que afeta a medula óssea, e ocorre com maior concentração em pessoas a partir de sessenta anos.

Ou seja, tinha um câncer que não tinha cura, mas tinha tratamento e, uma vez tratado, tinha uma função renal para recuperar. Lembra das palavras mágicas? Foco e disciplina? Pois bem, confie que elas são poderosas.

Entre 2017 e 2021, foram quatro anos e dois meses de tratamento. Nesse período foram 660 sessões de hemodiálise, cada uma com a duração média de quatro horas, o que dá 2.640 horas sentado e pelo menos 1.300 vezes meu braço foi puncionado. Vinte sessões de radioterapia, seis meses de quimioterapia, infusões semanais de imunoglobulina (até hoje), um transplante de medula óssea autólogo, incontáveis transfusões de sangue e plaquetas, três biópsias, uma fístula arteriovenosa que segue ativa comigo, uma drenagem de pericárdio, um transplante de rim e uns quarenta pontos espalhados pelo corpo que eu carinhosamente chamo de minhas figurinhas premiadas. E eu amo cada um deles, conquistados com muito orgulho em aproximadamente noventa dias de internações.

Parece muito e foi muito. Mas essa batalha não foi uma exclusividade minha.

Ao longo dela, conheci muitos guerreiros como eu, muitos inclusive que vêm em batalhas muito mais longas e difíceis que a minha. Pessoas extraordinárias, maravilhosas e únicas, que seguem suas vidas com doçura nos olhos, amor no coração e uma fé simplesmente inabalável. Conheci uma nova família.

Conheci também uma legião de pessoas cujo propósito único de vida é a caridade: salvar pessoas. Enfermeiros, copeiras, auxiliares de limpeza e médicos que farão você entender o sentido das palavras compaixão e confiança.

Passados dois anos, hoje virei exemplo. Impossível explicar o tamanho que isso tem: olharem para você todos os dias e sentirem esperança de que também vencerão seus desafios, sentirem coragem para lutar as suas batalhas e principalmente de serem gratos por estarem passando por isso, pois no final das contas o que realmente cura é o amor que se dá e que se recebe.

Lembra quando falei das minhas frustrações aos quarenta? Sete anos depois, todas elas se foram. Descobri que na vida a cura não é o caminho, mas que o caminho sim é a cura. Cada um com o seu caminho em busca da sua cura. Não há maior nem menor, pior nem melhor; só há caminhos e curas.

Meu Rumo não foi o Remo, mas o Remo é o Rumo de muitas famílias e crianças que estão em busca da sua cura, não é mesmo?

Não contei para vocês ainda, mas no meu caminho tinha um grande homem, que me inspirou muito. Incansável, corajoso, bonito, doce, gentil, resiliente, um crente em Deus e nas pessoas, obstinado em mudar o mundo de algumas delas.

Educar um educado foi o caminho que me levou ao Remo Meu Rumo, ao Ricardo e à Patricia, meus amados e inspiradores amigos, que, assim como a minha história, fazem, com muito foco e disciplina, do caminho diário a cura de pessoas e famílias que já nasceram anjos.

É como disse Dom Bosco: "Eu não disse que seria fácil. Disse que valeria a pena".

Que os anos sigam passando e trazendo crescimento, engajamento, pessoas e recursos para o Remo seguir sendo o Rumo e o caminho e a esperança de que viver é seguramente o maior de todos os presentes.

FABIO MADIA é consultor master e CEO do MadiaMundoMarketing e da Abramark.

AS PESSOAS E AS CANÇÕES

Marcelo Salgado

Como podemos saber quando estamos diante de desafios que parecem intransponíveis?

Se você já se fez essa pergunta em algum momento da vida, bom, talvez fosse aí a virada de chave. Mas a verdade é que a vida não é tão simples e não vai ser este texto que vai ajudar a simplificar, sinto muito.

Mas talvez uma canção ajude.

Diga, em voz alta, a frase:

Eu tenho medo de te dar meu coração.

Cada vez que você repetir essa frase em um contexto distinto, ela vai sair ligeiramente diferente. Isso acontece porque, dita assim, ao acaso, ela se parece mais com uma fala casual. Quer dizer, ela até tem uma entoação natural da fala, mas sempre vai soar orgânica dita assim.

Se você estiver numa briga de casal, ela vai sair mais ríspida. Se você estiver tentando explicar para a pessoa amada por que não se declarou ainda, vai sair amorosa. A frase é sempre igual, mas nunca sai do mesmo jeito.

A menos, claro, que você a coloque numa canção.

Todas as vezes que você cantar uma canção com ela, você o fará igual.

Isso porque a canção estabiliza a fala, que é a princípio imprevisível e caótica. A entoação, o ritmo e a narrativa fazem com que, na canção, a frase se apresente sempre do mesmo jeito. E fazem com que você não só a decore, mas a reconheça.

Aliás, se você não reconheceu a frase acima, tente lê-la na estrofe inteira:

"Quando eu digo que deixei de te amar
É porque eu te amo
Quando eu digo que não quero mais você
É porque eu te quero
Eu tenho medo de te dar meu coração
E confessar que eu estou em tuas mãos
Mas não posso imaginar
O que vai ser de mim
Se eu te perder um dia"[10].

Enquanto a vida real é como a fala orgânica, naturalmente instável e não fechada, distinta em cada contexto, as histórias acontecem numa estrutura mais estável. Como na canção, em que refrões e entoações são artimanhas para fixar letra e melodia na memória, as histórias têm estrutura, nuances e arcos para estabilizar a narrativa e aumentar seu reconhecimento por parte do leitor.

A vida está para a fala assim como a literatura está para a canção.

As histórias se valem de certa organização dos fatos para se estabilizar e facilitar a memória. Isso significa simplificar as linhas, jogar luz nos acontecimentos certos e guiar o espectador

---

10 Trecho de "Evidências", canção eternizada por Chitãozinho e Xororó, composta por José Augusto e Paulo Sérgio Valle em 1989.

pelo caminho. Então, histórias, sim, conseguem dar destaque aos pontos críticos da jornada, o que inclui, claro, aquele momento mais difícil.

Histórias conseguem destacar bem quando é o fundo do poço.

Já a vida real — tomando como real isso aqui que eu e você vivemos — é bem mais caótica e orgânica. Dias incríveis sucedem dias ruins. E mesmo os dias mais ou menos foram, ao mesmo tempo, mais e menos. Sempre é uma gangorra de emoções. Erros e acertos. Alegrias e tristezas. Lutas, calmarias, glórias, derrotas... Por vezes tudo concentrado numa manhã estranha de um setembro sombrio.

É difícil saber quando estamos no limite, no último suspiro antes do que parece o fim. Mas, em geral, é exatamente esse tipo de momento ou período da vida que mais nos ensina. É nessa hora que a gente ganha boa parte da casca para lidar com o mundo à nossa volta. Significa que você pôs o pé na rua, saiu na chuva, ativamente.

Podia sempre ser mais fácil, claro. No entanto, ainda que você se molhe, o que você vivencia e aprende te torna mais forte e capaz de enfrentar desafios maiores.

Mas a vida, como diria Simon Sinek, é um jogo infinito.

Simon Sinek é um escritor e consultor americano que ficou famoso nos anos 2000 por criar uma modelagem de estratégia conhecida como Golden Circle. Se você nunca ouviu falar, vale a pena buscar pelo vídeo no YouTube (tem um livro também, chamado *Comece pelo porquê*). No livro *O jogo infinito*, lançado em 2019, Simon destaca as diferenças entre os jogos finitos, aqueles que têm regras e jogadores bem definidos, que têm começo, meio e fim, e o que ele chamou de jogos infinitos, aqueles cujas regras mudam ao longo do tempo, jogadores entram e saem, e não se sabe muito bem quando — e se — vai acabar.

Isto é a vida: um grande jogo infinito.

Histórias, por outro lado, começam e terminam. Histórias são jogos finitos. Por isso é possível saber quando começam, quando atingem o ponto mais crítico e, claro, quando terminam. É possível saber quando estamos lá pela metade e já conhecemos os desafios, nossos aliados e nossos inimigos. Já na vida real nem sequer chegamos a conhecer a nós mesmos completamente. Na verdade, talvez o que você chama de você, de si mesmo, tecnicamente seja mais micróbio do que você. Isso mesmo. Você aí lendo esta crônica é, em quantidade de genes, mais micróbio do que leitora ou leitor. Há mais genes microbióticos no nosso organismo do que os nossos próprios. E a proporção é assustadora: 3 milhões deles contra 26 mil nossos.

Não é exagerado dizer que devemos nossa existência a certa simbiose probiótica. Você já ouviu a expressão "flora intestinal". A flora, no caso, é a cultura vasta de bactérias do bem que atuam nas mais diversas funções, desde quebrar açúcar até defender seu corpo das suas colegas do mal.

Ou seja, você não faz tudo sozinho nem quando está sozinho fazendo tudo.

Você é, sempre, em todos os sentidos, coletivo.

O pesquisador de Harvard Nicholas Christakis estudava pacientes oncológicos quando percebeu que as pessoas em volta deles adoeciam com mais frequência que a média da população. Não só cônjuges, mas parentes próximos também. Isso não era cientificamente esperado, já que o câncer não é uma doença transmissível. Esse adoecimento de pessoas próximas se dava por uma influência outra, provavelmente pelo estado psicológico e social, não pelo estado clínico.

Ele ficou intrigado e começou a pesquisar, então, a influência em rede.

Um dos estudos que Christakis conduziu, com seu colega James Fowler, o levou a perceber que pessoas mais felizes iam ganhando mais conexões ao longo do tempo, enquanto pessoas mais raivosas iam perdendo conexões. No gráfico de rede que as pesquisas usam para demonstrar os graus de conexão entre os entes dela, as pessoas mais otimistas iam ficando mais centrais, enquanto as pessimistas iam ficando mais distantes do centro.

Christakis usa uma metáfora para explicar esse mecanismo de rede: a relação entre os átomos de carbono no diamante e no grafite. Ambos — diamante e grafite — são compostos exclusivamente de moléculas de carbono. Nada mais.

No entanto, suas características são absolutamente opostas. No diamante: alta dureza, durabilidade e transparência. No grafite, alta flexibilidade e opacidade. Como podem dois elementos ser tão diferentes se são compostos da mesma e única coisa? Resposta: a rede. A densidade de conexões entre os átomos de carbono muda completamente o que o coletivo de carbono é. No diamante há muita conexão e as ligações dos elétrons são mais complexas. No grafite, menos conexões, com ligações mais simples.

O jeito de se conectar determina o que se é, a própria identidade.

A rede, o coletivo, vira um organismo único, fluido no tempo, mas consistente. Ele é mais longevo e cheio de propósito do que os elementos de que é composto. Elementos entram e saem do coletivo e ele segue existindo.

Portanto, se você quiser durar no tempo, aguentar o tranco dos muitos fundos do poço em que a vida nos joga, as chances aumentam quando você é muitos.

É melhor ser diamante que grafite.

E ser diamante significa espalhar mais amor do que ódio. Porque o amor conecta. Ódio desconecta. Amor adensa. Ódio dilui.

Os laços que fazemos na vida, fortes ou fracos, nos ajudam a superar dificuldades. Os aliados que somos e que fazemos são as tramas que nos resgatam do chão.

Eu certamente já passei por poucas e boas. Mas não sei se já estive no fundo do poço.

O que sei é que, olhando para trás, todos os momentos ruins que passei foram enfrentados porque tinha minha rede em volta.

Como diria Lenine na canção "Castanho", *"O que eu sou, eu sou em par, não cheguei sozinho"*.

Ou, Emicida, na canção "Principia":

"Cale o cansaço, refaça o laço
Ofereça um abraço quente
A música é só uma semente
Um sorriso ainda é a única língua que todos entende
[...]
Tudo tudo tudo tudo o que nós tem é nós".

Quem canta os males espanta.

E, embora a vida seja um jogo infinito, com suas quedas e subidas, é um jogo que se joga junto.

Coletivo.

MARCELO SALGADO é graduado em espanhol e português pela Faculdade de Filosofia, Letras e Ciências Humanas da Universidade de São Paulo (FFLCH-USP), CEO da nAÇÃOenredo, uma agência de comunicação especializada em social, *storytelling* e ESG. Criou a área de redes sociais do Bradesco, a primeira de um banco brasileiro. Criou e ajudou a criar campanhas memoráveis e premiadas nacional e internacionalmente, como a saga dos vagalumes de natal (bronze em Cannes, 2019) e a campanha BIA contra o assédio (Effie de prata, 2022). Fundador e voluntário do Instituto Remo Meu Rumo, contribuindo nas áreas de marketing, comunicação e tecnologia. É escritor, compositor letrista e palestrante.

O PLANEJAMENTO E SUAS FERRAMENTAS

Michel Freller

Saber onde estamos e aonde queremos chegar é a base milenar do planejamento. Sêneca, filósofo do Império Romano, dizia que, "quando se navega sem destino, nenhum vento é favorável". Parece simples, porém minha experiência como consultor nos últimos vinte anos mostra que, embora as organizações queiram captar mais, quando perguntadas sobre o que farão com os recursos adicionais arrecadados, não sabem responder.

Podemos pensar o planejamento em cinco etapas, que eu, sinteticamente, chamo de ADOPA:

A — DIAGNÓSTICO (ANÁLISE DE AMBIENTE)
- Interno
- Externo

D — DEFINIR AS DIRETRIZES
- Missão, visão e valores
- Teoria da mudança
- Diretrizes estratégicas

O — DETALHAR AS ESTRATÉGIAS
- Objetivos operativos (metas)
- Resultados esperados

P — PLANO DE AÇÃO
- Cronograma
- Orçamento

A — CONTROLE E AVALIAÇÃO
- Causas e consequências
- O que aprendemos?

O segredo de um bom planejamento é utilizar a ferramenta adequada em cada fase.

Na fase inicial (A), olhamos para a sociedade e vemos o que acontece por lá: quais as necessidades do nosso público-alvo, qual o cenário do entorno e o que organizações semelhantes estão fazendo (no Brasil e no mundo). Olhamos internamente e analisamos os pontos fortes e o que precisamos melhorar, quais serviços já prestamos, os equipamentos, recursos humanos e financeiros que possuímos. Para essa fase inicial, podemos utilizar as ferramentas do Modelo Trevo, de Antônio Luiz de Paula e Silva, e a análise SWOT/FOFA (da década de 1960), com muito cuidado para não confundir oportunidade com ponto forte. A oportunidade é para todos os que atuam no mesmo segmento; algo que é só para a sua organização talvez seja um ponto forte.

A matriz BCG também pode ser utilizada nessa fase, pois vai mostrar graficamente quais serviços, produtos ou estratégias de captação estão maduros (vaca leiteira), quais necessitam de maior atenção (estrela em ascensão) e quais estão em questionamento ou devem ser eliminados (abacaxis).

Na sequência (D), vamos cuidar do direcionamento: aonde queremos chegar? Utilizando a "Teoria da Mudança" e as declarações de visão, missão, princípio e valores (do mesmo autor citado acima), que irão nos apoiar nessa difícil tarefa de "desenhar" o futuro, etapa fundamental para seguirmos para a próxima (O) fase, a de criar objetivos, metas quantitativas, qualitativas e financeiras. Quantas pessoas queremos alcançar, quantas horas de cada funcionário será preciso, espaços necessários, qual a expectativa de melhora do público atendido, quanto custa tudo isso e ainda novas metas que podemos criar. Nessa fase, utilizamos planilhas do tipo Excel e os conhecimentos de Sócrates, filósofo da Grécia antiga, que dizia que "a administração é uma questão de habilidades, e não depende de técnica ou experiência, mas é preciso, antes de tudo, saber o que se quer". As metas deverão ser escritas de forma SMART (específico, mensurável, alcançável, realista e temporal), sendo as mais comuns nas seguintes áreas:

1. Buscar o equilíbrio financeiro	9. Ampliar o público-alvo, aumentar o atendimento
2. Adquirir bens	10. Ampliar áreas de atendimento
3. Reformas	11. Investir em marketing e comunicação
4. Construir algo	12. Investir em novas estratégias de captação
5. Pesquisa	13. Melhorar o atendimento
6. Criar fundo de reserva/patrimonial	14. Definir novos rumos (direcionamento)
7. Melhorar salários e benefícios	15. Certificações
8. Capacitações	16. Segurança

Antes de seguirmos para a próxima fase, analisamos as fontes, as 16 estratégias e as 48 formas disponíveis para captar os recursos de que necessitamos.

Selecionamos, então, quais delas terão mais chance de sucesso ou melhor relação entre investimento e resultado. Para tanto, utilizamos a ferramenta do AHP (Analytic Hierarchy Process), desenvolvido pelo professor Thomas L. Saaty, na década 1970, ou ainda a ferramenta GUT (Gravidade, Urgência e Tendência).

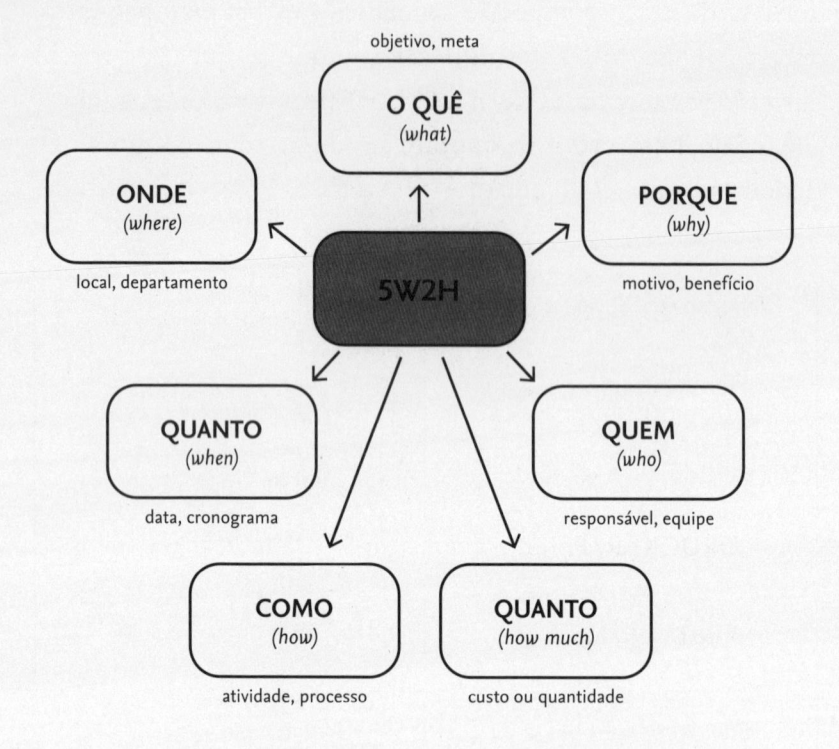

```
                    objetivo, meta
                    ┌──────────┐
                    │  O QUÊ   │
                    │  (what)  │
                    └──────────┘
   ┌──────────┐          ↑          ┌──────────┐
   │   ONDE   │     ┌─────────┐     │  PORQUE  │
   │ (where)  │ ←── │  5W2H   │ ──→ │  (why)   │
   └──────────┘     └─────────┘     └──────────┘
 local, departamento   ↙  ↓  ↘      motivo, benefício
   ┌──────────┐                     ┌──────────┐
   │ QUANTO   │                     │   QUEM   │
   │  (when)  │                     │  (who)   │
   └──────────┘                     └──────────┘
  data, cronograma                  responsável, equipe
          ┌──────────┐   ┌──────────┐
          │   COMO   │   │  QUANTO  │
          │  (how)   │   │(how much)│
          └──────────┘   └──────────┘
        atividade, processo  custo ou quantidade
```

Na próxima etapa, do planejamento (P), iremos detalhar o orçamento dos recursos que serão necessários e utilizar uma das diversas ferramentas disponíveis para criar um cronograma semanal de atividades, no qual poderemos comparar o previsto e o realizado: Trello, Monday, Asana, planilha Excel e outras ferramentas que, na maioria das vezes, conseguimos de forma gratuita nos sites dos fornecedores. Um ou vários planos de ação acompanham esta fase, e podemos utilizar a ferramenta 5W2H.

Por fim, deveremos controlar todo o processo (A). Avaliar os resultados alcançados, comparando-os com as metas iniciais, bem como com os resultados esperados e entendendo o que fizemos bem, atingindo ou superando as metas, e onde precisamos melhorar para a fase ou ano seguinte. Seja muito criterioso nesta fase para conseguir avaliar da forma mais isenta possível. Pode-se contratar consultorias para analisar e escrever um relatório anual com esse conteúdo, que será a base do planejamento das atividades e da captação de recursos do próximo ano, bem como ter um painel de controle.

Para aprofundar este tema, não deixem de analisar e estudar as ferramentas de planejamento disponíveis citadas no texto, bem como outras, entre elas as ferramentas ágeis, além de ler os seguintes livros:

– DRUCKER, Peter. *Administração de organizações sem fins lucrativos:* princípios e práticas. São Paulo: Pioneira, 1994.

– FRELLER, Michel. *Mobilização de recursos para organizações sem fins lucrativos por meio de geração de renda própria*. Orientador: Ladislau Dowbor. 2014. Dissertação (Mestrado) — Pontifícia Universidade Católica de São Paulo, São Paulo, 2014.

– SILVA, Antônio Luiz de Paula. *Utilizando o planejamento como ferramenta de aprendizagem*. São Paulo: Global; Instituto Fonte, 2001.

MICHEL FRELLER é administrador público formado pela Fundação Getulio Vargas (FGV-SP), mestre em Administração pela Pontifícia Universidade Católica de São Paulo (PUC-SP), especialista em ESG e ODS, fazendo pontes entre empresas e organizações sem fins lucrativos. Participa ativamente de OSCs há mais de 40 anos. Como consultor, desenvolve seu trabalho com ênfase no planejamento de mobilização de recursos. É professor na pós-graduação da Coordenadoria Geral de Especialização, Aperfeiçoamento e Extensão da PUC-SP e em cursos livres de Terceiro Setor da Rede Filantropia. Empreendedor social, palestrante e conselheiro de diversas instituições do Terceiro Setor. Sócio-fundador, diretor da Criando Consultoria e voluntário do Instituto Remo Meu Rumo desde a sua fundação.

CAPTAÇÃO DE RECURSOS INTELIGENTE

Ricardo Falcão

Quando iniciei na área social, em 1968, o Terceiro Setor ainda não era considerado um setor. A vida das instituições era bem diferente, começando pelo conceito de "ação social", que era definido por sua grande maioria como assistencialismo em nome da caridade, em vez de ser um projeto social em nome da autonomia e desenvolvimento. Além das questões conceituais, existia o sério problema do ambiente político em que vivíamos, que não fornecia espaço para nada que envolvesse a autonomia da sociedade. "Projeto social que trabalha com crianças, jovens e adultos capazes e não visa dar autonomia não é projeto social."

Já no segmento da captação de recursos, o problema era menor, pois as doações eram muitas e o número de instituições era muito pequeno, principalmente se comparado ao último levantamento de 781,9 mil instituições no Terceiro Setor[11].

Nossa instituição, onde eu era fundador responsável pelo projeto para fornecer documentos de identidade para pessoas que viviam na periferia, tinha como único financiador uma

---

11 ASSOCIAÇÃO BRASILEIRA DE CAPTADORES DE RECURSOS (ABCR). Conheça 5 ONGs que democratizam a informação sobre o 3º setor. 19 ago. 2021. Disponível em: https://captadores.org.br/noticias/conheca-5-ongs-que-democratizam-a-informacao-sobre-o-3o-setor-no-brasil. Acesso em: 8 jan. 2023.

instituição milenar e riquíssima que nos provia de tudo que precisássemos, na hora que precisássemos. Tudo isso sem que fosse necessário escrever projetos ou prestar contas. Se era bom por um lado, foi péssimo por outro, pois crescemos mimados, achando que captar recursos era algo muito fácil e simples.

Muita água passou por debaixo da ponte e eu acabei me formando em Economia e indo trabalhar em um banco onde aprendi a analisar projetos e o mercado. Assim entendi a importância dos projetos, dos indicadores de resultado e de impacto, sem os quais as empresas não conseguiriam um empréstimo.

Ao trabalhar fora do Brasil, entendi que, embora as ONGs (nome na época) de base fossem iguais às nossas e sofressem dos mesmos males, eu tive a oportunidade de conhecer o que chamávamos de "King ONGs", cujo orçamento chegava à centena de milhões de dólares. As "King ONGs" eram gerenciadas como empresas, e seus resultados eram infinitamente superiores aos das ONGs de base.

Surge a primeira pergunta: o que vem primeiro, os recursos financeiros ou os resultados junto aos beneficiários?

Hoje em dia, muitos já descobriram que os dois andam juntos e o crescimento sustentável é gradual.

Infelizmente ainda existem muitos que acham que captação de recursos é ter conhecidos nos lugares certos. A isso respondo "puro engano", porque um dia os amigos nos lugares certos serão substituídos e a fonte irá secar.

Não são poucos os exemplos de instituições que faziam captação de forma pessoal, sem planejamento, amadora, que encerraram suas atividades por falta de recursos.

Então é preciso a compreensão de que captar recursos de forma sustentável e de longo prazo é uma consequência de uma série de ações planejadas. Como venho dizendo, afirmando e reafirmando desde 1998: "Captar recursos não é vender projetos, mas conquistar parceiros".

Lembrando que quem conquista é a instituição, e o captador de recursos é apenas o cupido. Esse processo envolve ressaltar e elevar as qualidades da instituição e fornecer subsídios ao cupido para facilitar seu trabalho.

O que mais facilita a conquista do parceiro é apresentar o projeto/causa/instituição certos, para o parceiro certo, na hora certa. Assim iremos trabalhar simultaneamente uma área de captação de recursos, com os indicadores de resultado e impacto da nossa área técnica.

Começando com a área de captação, ela precisa desenvolver quatro atividades básicas, que são:

1. Prospecção: criar um banco de financiadores com as características de cada um para podermos escolher entre vários o parceiro certo.

2. Formatação de projetos, para que a área técnica os coloque em prática. Normalmente vemos que quem escreve o projeto capta os recursos e o implementa, quando, a meu ver, essa área deve formatar e captar os recursos, enquanto a área técnica o coloca em prática. E assim um ciclo de captação sustentável se instala: enquanto uma área põe em ação, a outra está formatando e captando recursos para outro projeto.

3. Negociação: entendo que negociação é uma arte para a qual devemos nos preparar, estudar. Existem muitos cursos no mercado a que podemos adaptar para o nosso contexto específico.

4. Fidelização, porque de nada adianta conquistar parceiros novos e perder os antigos. Em qualquer relação, conquistar é muito mais fácil que manter.

O que precisamos desenvolver na área técnica são indicadores de resultado e de impacto. Fui durante onze anos financiador para agências internacionais e pude perceber que o financiador com o dinheiro dele é igual à maioria de nós com o nosso dinheiro.

Sim, eles, como nós, fazem caridade, mas estamos falando de captação junto a pessoas físicas (PF) e de um valor médio mensal entre 10 e 20 reais. Se você conseguir 20 mil pessoas doando 10 reais mensamente, terá 200.000 reais por mês. O que é muito bom, pois perder cem doadores pouco irá afetar sua arrecadação, porém a infraestrutura necessária para conseguir 20 mil doadores não é barata, e fidelizar tantas pessoas não é fácil.

Se formos buscar financiadores pessoas jurídicas (PJ), podemos conseguir 200.000 reais com um financiador, mas não será caridade e sim investimento social privado, cujos indicadores são fundamentais para que o financiador possa acompanhar e avaliar se foi feito o que se propôs a fazer em termos de quantidade e qualidade. Embora seja mais barato e mais fácil fidelizar um financiador, se você o perder, perdeu toda sua arrecadação.

Tanto para PF como para PJ, os resultados alcançados pela instituição são muito importantes tanto para manter os atuais financiadores como para conseguir novos.

Precisamos que nossos projetos, causas e instituições tenham objetivos quantificáveis. Se colocamos algo subjetivo, já erramos por definição. Só com objetivos quantificados podemos ter indicadores que permitam às instituições gerenciar o projeto e aos financiadores avaliar o projeto.

Finalizando, gostaria de acrescentar três pontos:

1. O período do investimento até seu resultado, ou melhor, até a captação dos recursos, é normalmente de um ano, tanto para PF como para PJ.

2. Para captar recursos, é preciso investir recursos; se não comprar o cartão, não ganhará na loteria, e o quanto se vai ganhar é uma relação envolvendo o tamanho do investimento e o risco (possibilidade de ganho).

3. É preciso um bom plano de marketing para divulgar seus resultados. Bons resultados podem fazer uma referência, e isso trará longevidade, mas o que traz recursos é a fama. Quanto mais pessoas te conhecerem, maiores serão as possibilidades de conseguir parceiros.

Resultados e fama são uma parceria imbatível, a exemplo dos anúncios de cursinho pré-vestibular. Eles não dizem quantos alunos estão matriculados, mas apenas os nomes dos primeiros lugares, para mostrar que são uma referência, e o percentual de aprovação nas faculdades, para mostrar que atendem a todos os inscritos.

De nada adianta sua instituição atender trezentos jovens se o seu sucesso foi um aluno que hoje é diretor de uma empresa ou professor universitário com PhD. Essa informação é ótima para mídia na busca da fama, mas, para quem faz investimento social privado, o importante é o que aconteceu com pelo menos 240 dos 300 jovens.

De todos os tipos de recursos que existem — parcerias em projetos, apoiadores que oferecem equipamentos e serviços gratuitamente, patrocinador que dá dinheiro para a instituição fazer o que quiser —, nada é melhor do que os recursos que a instituição gera. Instituições podem, por exemplo, oferecer serviços para empresas privadas e cobrar por eles, podem vender artigos que produzem, podem administrar estacionamento e uma instituição sem fins lucrativos, podem ser donas de instituições com fins lucrativos, entre outras, desde que essas atividades apareçam em seu estatuto.

A diferença entre uma captação de recursos e uma captação de recursos inteligente reside na mente dos que compõem a área de captação, pois a nossa visão de curto, médio e longo prazo emerge da forma como pensamos. Uma estratégia que morre na praia é diferente de uma estratégia que corta mares, e isso define o tempo e a qualidade de vida de uma organização.

RICARDO S. S. FALCÃO é consultor internacional com cinquenta anos dedicados ao gerenciamento, elaboração, avaliação de projetos, captação de recursos e financiamento na iniciativa privada e ESG (responsabilidade social), atuando na ONU e em organizações da sociedade civil no Brasil, África e América Latina. Autor do livro *Elaboração de projetos e sua captação de recursos*, é professor do MBA da Laboratório de Responsabilidade Social e Sustentabilidade do Instituto de Economia da Universidade Federal do Rio de Janeiro (Lares-UFRJ) em Terceiro Setor e Responsabilidade Social. Palestrante e facilitador de Planejamento Estratégico, é formado em Economia. Durante onze anos foi analista para agências financiadoras internacionais. Senior Program Officer, Democracy & Training Officer de 1992 a 1998 da Agência de Desenvolvimento Internacional dos Estados Unidos — USAID, responsável pela elaboração do Plano Anual de ação e orçamentário, descrevendo as estratégias e os programas para a utilização de 20 milhões de dólares em fundos para o Brasil, análise de desenvolvimento nas áreas econômica, política, sociedade civil e cultural. Responsável direto pelos projetos nas áreas legislativa, judiciária e sociedade civil, além da avaliação dos projetos.

AMPLIANDO O IMPACTO POSITIVO COM O ESG E A SUSTENTABILIDADE

Marcus Nakagawa

Conheci as questões de impacto social positivo na faculdade, quando me mudei para a capital do estado e o centro econômico do país. Esse impacto, tão discutido nos dias de hoje, pode ser negativo ou positivo. As empresas, governos, ONGs e nós, como pessoas físicas, sempre acabamos, em qualquer ação que fazemos, causando impactos no planeta e nas pessoas no nosso entorno.

O impacto negativo foi o modelo que a humanidade achou para prosperar e desenvolver a sua tão sonhada qualidade de vida (para alguns ainda). Por meio da exploração dos recursos naturais, os seres humanos, organizados em empresas ou governos, mineraram, cortaram florestas, destruíram rios, oceanos, poluíram, enfim, causaram impactos negativos, gerando retorno financeiro ou políticas públicas. Além desses recursos, utilizaram também os "recursos humanos", que atualmente têm sofrido inclusive nas questões psíquicas, com os *burnouts* e outros problemas, como depressão e síndromes diversas. Todo esse impacto nos recursos gerou o período geológico Antropoceno ou a "Era da Humanidade". Os seres humanos se transformaram num vetor de impacto tão potente no planeta quanto as eras do gelo ou dos vulcões.

O grande problema é que, nesta Era, a regeneração do planeta não está mais acontecendo conforme extraímos, mineramos, sujamos, não reciclamos, não conservamos ou não preservamos. Em 2023, no mês de agosto, chegamos ao Overshoot Day[12], o dia da sobrecarga da Terra. Isso quer dizer que, em sete meses, os seres humanos consumiram o que a natureza dispõe para um ano inteiro e que atualmente o planeta não está conseguindo repor, regenerar, atualizar os recursos naturais. Estamos no "cheque especial" do planeta e não temos um fiador ou um lastro bancário para poder pegar empréstimo. Em 1971, segundo os cálculos da Global Footprint Network[13], estávamos utilizando um planeta Terra e ele conseguia se regenerar. No ano de 2023, essa nossa pegada ecológica faz com que precisemos de 1,7 planeta Terra para atender à demanda do nosso consumo, do nosso estilo de vida e da nossa poluição, tendo em vista o nosso descaso com as questões ambientais. E só lembrando que estamos vivendo em um planeta único, ou seja, só temos este planeta.

Mas, quando falamos de futuro e de como remar até lá, temos que imaginar um modelo em que possamos minimizar esses impactos negativos e começar a fazer mais impactos positivos. Ao longo da minha carreira, trabalhei com várias ONGs e conheci muitas pessoas que diariamente estavam batalhando para criar um ambiente mais saudável e inclusivo. Essas pessoas estavam desenvolvendo projetos e programas sociais educacionais que propiciavam ao público atendido arranjar um emprego, desenvolver um negócio de sobrevivência ou ter uma alimentação mais saudável.

Na área ambiental, muitas pessoas "falam" em nome da natureza, pois ela não consegue se defender. São ativistas apaixonados

---

12 EARTH OVERSHOOT DAY. Earth Overshoot Day 2023 fell on August 2. Disponível em: https://overshoot.footprintnetwork.org/. Acesso em: 8 jan. 2024.

13 GLOBAL PRINT NETWORK. Disponível em: data.footprintnetwork.org. Acesso em: 8 jan. 2024.

que se sentem realizados em salvar mesmo que seja uma vida dentre tantas. A estratégia de impactar, engajar e conscientizar as pessoas para as questões ambientais muitas vezes acaba sendo radical, porém são necessários todos os tipos de organizações para a defesa do meio ambiente.

Nossas organizações do Terceiro Setor no Brasil não têm fins de lucro, mas sim fins sociais ou ambientais de impacto positivo, sendo geralmente uma associação ou uma fundação, e precisam ter objetivos públicos, ou seja, não podem trabalhar somente para alguns e sim para muitos. Nessa minha jornada, percebi que o meu impacto era pequeno se eu trabalhasse somente nas ONGs. Senti que tinha um potencial maior para levar os temas de impacto para outros ecossistemas. Como tinha interagido com as empresas para captar recursos, recebi uma proposta para trabalhar na maior empresa de alimentos do país. E comecei a trabalhar na área que na época chamavam de responsabilidade social corporativa. Cuidava do programa social que apoiava ONGs, fazia voluntariado empresarial, projetos sociais e doações.

Nessa época, o conceito do desenvolvimento sustentável, consagrado em 1987 pela Comissão Mundial sobre o Meio Ambiente e Desenvolvimento no documento coordenado por Gro Brundtland — na época a primeira-ministra da Noruega —, já começava a se difundir com o Instituto Ethos de Responsabilidade Social e o Conselho Empresarial Brasileiro para o Desenvolvimento Sustentável (CEBDS).

O conceito e os departamentos das grandes empresas foram se desenvolvendo e sendo chamados de sustentabilidade, responsabilidade corporativa, cidadania, enfim: vários nomes para destinar uma área na empresa que cuidasse das questões sociais e ambientais de uma forma centralizada.

A preocupação com os direitos humanos, os principais problemas globais e os seus impactos, fez com que, em setembro de 2015, por meio da cúpula das Nações Unidas, a ONU desenvolvesse uma agenda mundial chamada "Objetivos de Desenvolvimento Sustentável" (ODS)[14]. Essa agenda é composta por 17 objetivos e 169 metas a serem atingidas até o ano de 2030[15]. Os objetivos da agenda são aspirações que tratam das questões de erradicação da pobreza, segurança alimentar, agricultura, consumo, saúde, educação, igualdade de gênero, redução das desigualdades, energia, água e saneamento, mudanças climáticas, proteção e uso sustentável dos oceanos e ecossistemas terrestres, crescimento econômico inclusivo, infraestrutura, industrialização, promoção da paz mundial e parcerias globais para institucionalizar os objetivos também oficializados pelo mesmo relatório da ONU.

Figura 1 — Objetivos de Desenvolvimento Sustentável (ODS) da ONU

FONTE: NAÇÕES UNIDAS. OBJETIVOS DE DESENVOLVIMENTO SUSTENTÁVEL. DISPONÍVEL EM: HTTPS://BRASIL.UN.ORG/. ACESSO EM: 8 JAN. 2024.

---

14   REDE BRASIL DO PACTO GLOBAL. Integração dos ODS na estratégia empresarial: contribuições do Comitê do Pacto Global para a Agenda 2030. Brasília, DF, 2017.

15   PNUD, ONU. Transformando Nosso Mundo: a Agenda 2030 para o Desenvolvimento Sustentável. 2016.

Os ODS, para mim, são o sonho comum para chegarmos ao impacto positivo para o planeta e para as pessoas. Outro marco conceitual que utilizamos muito nas empresas no final dos anos 1990 e começo dos anos 2000 foi o *triple bottom line* ou o tripé da sustentabilidade de John Elkington, criado em 1994 e consolidado no seu livro de 1997, chamado *Sustentabilidade - canibais com garfo e faca*. O princípio desse tripé consiste em aglutinar o pensamento ambiental, social e financeiro nas estratégias das empresas. É também conhecido em inglês como o triplo P (*People, Planet, Profit*), ou seja, levar em consideração nos negócios as Pessoas, o Planeta e o Lucro.

O tripé da sustentabilidade fez 25 anos em 2019, e Elkington escreveu no ano anterior, na Harvard Business Review, que precisava fazer um *recall* do conceito, havendo a necessidade de uma afinação ou uma melhoria — como as montadoras fazem com os carros que apresentam problemas.

Em 2004 surgiu o termo ASG (Ambiental, Social e Governança) ou ESG (*Environmental, Social & Governance*) em inglês. O acrônimo apareceu primeiro na publicação "Who Cares Wins", do Pacto Global da ONU junto com o Banco Mundial e está sendo usado principalmente pelos investidores e no setor financeiro. Nesse setor, desde 2020 essas três letras estão ganhando maior força. A BlackRock, uma das maiores empresas de investimentos do planeta, na época da pandemia notificou todos os CEOs do mundo que só ia investir em empresas que tivessem a gestão do ESG.

A análise do ESG é fundamental para a tomada de decisão dos investidores em todos os mercados diminuírem os seus riscos, além de entender como uma forma de responder às demandas da sociedade e do planeta de forma monetizada, política ou de relacionamento positivo. Para isso existem vários índices e indicadores para a gestão do ESG, como os Indicadores Ethos para

Negócios Sustentáveis e Responsáveis, as diretrizes de relatórios de sustentabilidade da Global Reporting Initiative (GRI), a Norma de Responsabilidade Social ABNT NBR ISO 26000, a norma ABNT PR 2030 — ESG, o CDP e outras iniciativas ligadas a transparência e mensuração do desenvolvimento sustentável corporativo.

Independentemente de a sigla ESG ser a substituição para os vários termos existentes hoje, como responsabilidade social corporativa, tripé da sustentabilidade, cidadania corporativa, sustentabilidade empresarial ou empresa com desenvolvimento sustentável, o importante é que o movimento está num crescimento exponencial e muitos profissionais pelo desenvolvimento sustentável estão trabalhando para tornar os dados, indicadores e análises mais concretos e tangíveis.

O ESG e a sustentabilidade estão questionando o modelo antigo de gestão, que é linear, com impacto negativo ambiental e social, tirando recursos escassos da natureza e fazendo as pessoas trabalharem de maneira insalubre ou sem nenhuma segurança. São os famosos produtos e serviços à base de sangue de seres humanos explorados ou ainda de desmatamento ou poluição. Esses indicadores de ESG tornam o sistema de gestão mais apurado e complexo, pois não é só extrair, processar, fabricar, distribuir, vender e ganhar dinheiro. A complexidade está em fazer tudo isso sem afetar negativamente as pessoas e o meio ambiente.

Ao trabalhar para várias empresas, percebi que o impacto do ESG e da sustentabilidade tende a crescer. Ainda não conseguimos mensurar se esse impacto será realmente positivo ou se vai regenerar o planeta. E aí vem a pergunta: e nós, qual o nosso no planeta e em outras pessoas? Nessa trajetória descobri que, para mim, o mais importante é levar todos esses raciocínios e pensamentos novos avante para mais e mais pessoas. Com isso, resolvi me dedicar à academia, escrever artigos, capítulos de livros como este, tentar influenciar as pessoas para que conheçam o movimento dos ODS, da melhoria do planeta e das pessoas, bem como o conceito de impacto positivo.

É assim que precisamos ir remando rumo a um futuro sem afetar negativamente o planeta e as pessoas. Temos que remar rápido para que dê tempo para o planeta se regenerar e que as pessoas tenham o necessário para viver, como já está na carta dos Direitos Humanos e nos ODS.

MARCUS NAKAGAWA é graduado em Publicidade pela ESPM, mestre em Administração pela PUC-SP e doutor em Sustentabilidade pela USP. Professor de graduação e MBA da ESPM, professor do MBA da Fundação Dom Cabral e da PUC-RS. TEDx speaker, palestrante e idealizador da plataforma www.diasmaissustentaveis.com. Autor de dez livros, um deles vencedor do prêmio jabuti na categoria economia criativa em 2019.

INSTITUTO REMO MEU RUMO — UM PROJETO DE DIVERSIDADE E INCLUSÃO QUE INSPIRA PRÁTICAS ESG

Dani Verdugo

A Organização das Nações Unidas (ONU) estabeleceu objetivos sustentáveis que compõem uma agenda mundial para a construção e implementação de políticas públicas que visam guiar a humanidade até 2030. Ou seja, estamos há menos de dez anos de 2030, ano em que todas as promessas e compromissos vão precisar ser renovados. A verdade é que, pela dor ou pelo amor, é necessário nos mobilizarmos em prol dos pilares ESG (governança ambiental, social e corporativa).

Além da importância da agenda ESG, precisamos falar sobre o quanto a diversidade está diretamente ligada aos negócios, economia e, consequentemente, a sustentabilidade do nosso planeta.

Para termos ideia, compartilho alguns dados:

— 38% dos cargos de liderança no Brasil são ocupados por mulheres (fonte: Grant Thornton).
— Empresas com maior diversidade de gênero têm 25% mais chances de obter retornos financeiros acima da média em comparação com empresas menos diversas (fonte: McKinsey & Company).

– 83% dos executivos consideram a diversidade de gênero e étnica uma prioridade em suas empresas (fonte: Boston Consulting Group).

Empresas que apostam na diversidade e na inclusão têm demonstrado ganhos significativos em diversos aspectos, como:

– **Desempenho financeiro:** ainda de acordo com um estudo da McKinsey & Company, organizações com maior diversidade étnica e cultural também têm maior probabilidade de superar seus concorrentes em termos de lucratividade.
– **Inovação:** a diversidade estimula a criatividade e a inovação. Segundo o BCGroup, equipes diversificadas são mais propensas a desenvolver produtos e serviços inovadores, que, além de gerar maior receita para as empresas, levam a soluções mais abrangentes e criativas.
– **Atratividade para talentos:** diversidade e inclusão são fatores cada vez mais importantes para os profissionais ao escolherem onde trabalhar. Ou seja, empresas que promovem diversidade e inclusão têm mais chances de atrair e reter talentos qualificados, o que resulta em equipes mais capacitadas e produtivas.
– **Melhoria da reputação da marca:** empresas que são reconhecidas por suas práticas inclusivas e pela valorização da diversidade tendem a ter uma reputação positiva entre os consumidores. Isso pode aumentar a lealdade do cliente, a confiança na marca e até mesmo impulsionar as vendas.
– **Melhoria do clima organizacional:** ambientes inclusivos e diversificados promovem a satisfação e o engajamento dos colaboradores. Equipes nas quais todos se sentem valorizados e respeitados tendem a ser mais colaborativas, criativas e

produtivas. Isso resulta em um clima organizacional saudável, com menor rotatividade e absenteísmo.

Sabemos que o ingresso de pessoas diversas em posições de liderança na sociedade é muito desafiador, nas corporações talvez ainda mais. Por isso, torna-se ainda mais essencial termos um olhar voltado para a diversidade — seja adotando práticas da agenda ESG, seja dando espaço para que profissionais em situação de desigualdade conquistem novos cargos dentro das organizações.

Adicionalmente, a diversidade e a inclusão promovem a justiça social e a igualdade de oportunidades. Elas ajudam a combater o preconceito e a discriminação, criando um ambiente mais equitativo em que todos possam prosperar. Ao abraçar a diversidade e a inclusão, as empresas desempenham um papel ativo na construção de uma sociedade mais justa e igualitária.

Em resumo, a diversidade e a inclusão são essenciais na nova economia, pois impulsionam a inovação, melhoram o desempenho das empresas, atendem às necessidades dos consumidores e promovem a justiça social. Ao abraçar a diversidade e criar ambientes inclusivos, as empresas podem obter benefícios significativos tanto interna quanto externamente.

E, como se trata de um círculo virtuoso, projetos sociais capacitam e motivam, empresas incluem e obtêm melhores resultados, gerando riqueza e oportunidades, que retornam às comunidades.

Empoderamento econômico, diversidade cultural e social, melhoria da qualidade de vida, redução das desigualdades, fortalecimento da resiliência comunitária, educação e conscientização, participação cívica, impacto sustentável a longo prazo etc. Na verdade, os projetos de inclusão, quando estrategicamente planejados, têm o potencial de gerar impacto sustentável a longo prazo, criando uma base sólida para o desenvolvimento contínuo da comunidade.

Em resumo, projetos como o Remo Meu Rumo não apenas abordam desigualdades e barreiras, mas também têm o poder de transformar positivamente a dinâmica e o potencial de uma comunidade, proporcionando benefícios duradouros para seus membros.

A nova economia baseada em princípios ESG está exigindo uma transformação das relações. As empresas e a sociedade precisam ir além do tradicional e se preparar para enfrentar os desafios complexos e em constante evolução que surgem nesse contexto.

Estamos diante de uma oportunidade de redefinir nossa forma de atuação em todos os sentidos, e de impulsionar mudanças positivas em nossas organizações e sociedade.

O Instituto Remo Meu Rumo está fazendo o seu papel, e a pergunta é: estamos prontos para abraçar essa transformação e nos tornarmos os agentes de que a agenda ESG, a nova economia e o mundo precisam? A resposta está em nossas mãos.

DANI VERDUGO é administradora por formação e *headhunter* de profissão, mentora de carreira e empresária, mas na verdade se considera mesmo uma empreendedora.

O FUTEBOL PRECISA ABRAÇAR A AGENDA ESG

Amir Somoggi

O mundo empresarial tem uma sigla cada vez mais presente em suas reuniões: ESG. Os temas ESG (*Environmental, Social & Governance*) estão pautando as decisões estratégicas e de gestão das companhias. Presente e futuro têm que ser sustentáveis, ou a Terra não sobreviverá.

A questão ambiental se apresenta com temas como energias renováveis, reciclagem de resíduos sólidos, uso consciente da água, poluição e temperatura dos oceanos, devastação de florestas e biomas, alterações climáticas e um sem-fim de temas muito associados ao Brasil, inclusive.

Há também aspectos sociais, como igualdade, diversidade, contribuição empresarial à sociedade, combate ao racismo, equidade de gênero, homofobia, sexismo e tantos avanços sociais para os menos favorecidos, para os quais as empresas podem e devem contribuir.

Com os impactos da pandemia, isso se intensificou ainda mais, e atualmente pensar em sustentabilidade, no auxílio aos menos favorecidos e em modernas práticas de gestão corporativa e *compliance*, é a realidade do mundo empresarial.

O futebol, principal esporte do planeta, com 4 bilhões de fãs, está muito distante do tema ESG e sua agenda. Muitos clubes em países em desenvolvimento como o Brasil mal falam ou agem sobre o tema.

Mesmo na Europa e nos Estados Unidos ainda são muito pouco difundidas as formas de alinhar os Objetivos de Desenvolvimento Sustentável nas Nações Unidas (as ODS da ONU) com a gestão do futebol.

Modelo de gestão saudável de clubes de futebol
— visão da Sports Value

GESTÃO E GOVERNANÇA

Boas práticas de gestão	Conselho de Administração	Transparência e controles internos	Relacionamento com *stakeholders*
	Representatividade democrática	Responsabilização de dirigentes	Conselho Fiscal e *Compliance*

INTEGRIDADE DO JOGO

Respeito às regras e isonomia	Equilíbrio esportivo	Arbitragem e *doping*	Jogo limpo e anticorrupção

SOCIAL E AMBIENTAL

Responsabilidade e contrapartidas	Impacto e atuação ambiental	17 ODS - escolher alguns	Educação e cidadania

ESG E OS CLUBES DE FUTEBOL

A indústria do esporte, setor que movimenta cerca de 900 bilhões de dólares anuais, segundo dados da Sports Value, tem forte impacto ambiental e social. Na Europa, Estados Unidos e Ásia, vem apresentando excelentes projetos de ESG.

Reciclagem de calçados e artigos esportivos, neutralização da emissão de dióxido de carbono, produção de resíduos sólidos, uso de energias renováveis, formação de jovens cidadãos, fomento do esporte entre as mulheres, prática e iniciação esportiva da população de baixa renda: são muitos os temas ligados ao esporte e ESG.

É importante destacar que os mercados mais adiantados em ESG no esporte são aqueles que criaram um modelo sólido de gestão esportiva empresarial. Gestão transparente e responsável é parte fundamental da agenda ESG.

Temas como recolhimento de impostos, práticas sustentáveis, projetos sociais efetivos, pagamento em dia de salários, respeito ao adversário, tudo isso já faz parte da cultura organizacional desses mercados. O conceito de responsabilidade corporativa também está integrado à gestão do esporte e agora ESG.

O mercado brasileiro de futebol movimenta mais de 45 bilhões de reais por ano no Brasil. Clubes de futebol geram quase 9 bilhões de reais desse total, segundo dados da Sports Value.

Objetivos do Desenvolvimento Sustentável (ODS) da ONU

FONTE: NAÇÕES UNIDAS. OBJETIVOS DE DESENVOLVIMENTO SUSTENTÁVEL. DISPONÍVEL EM: HTTPS://BRASIL.UN.ORG/. ACESSO EM: 8 JAN. 2024.

No Brasil ainda temos times sonegando impostos, não pagando salários em dia, com baixa preocupação humanitária, emitindo dióxido de carbono sem qualquer tipo de neutralização, falta de transparência e governança. Enfim, sem fazer o básico do básico da gestão empresarial. Precisamos evoluir muito em ESG no futebol brasileiro.

POR QUE OS CLUBES DEVEM SER SUSTENTÁVEIS?

– **Saúde e bem-estar:** esporte é saúde, e os clubes precisam se conectar com esse tema.
– **Meio ambiente:** cuidar do meio ambiente é fundamental para a prática de esportes.
– **Emissões:** os clubes emitem gás carbônico, geram resíduos, consomem energia, seus integrantes viajam sem parar. É necessário que sejam mais sustentáveis e neutralizem emissões, entre outras ações.
– **Impacto social:** tema inerente à atividade dos clubes. Os times precisam entender seu papel em sua cidade, estado, país e mundo.
– **Mares e oceanos:** os clubes precisam se preocupar com as altas temperaturas e a poluição dos oceanos e praias, especialmente os times em cidades costeiras.
– **Fãs sustentáveis:** os torcedores, cada vez mais bem-informados, não aceitarão que seus times não sejam sustentáveis. Os jovens esperam que empresas e times sejam sustentáveis. São o futuro.
– **Reputação de marca:** marcas alinhadas com a agenda ESG são mais valorizadas, respeitadas e melhoram a performance empresarial.

– **Impacto da mensagem:** os clubes são gigantes no impacto na mídia, redes sociais e sociedade em geral. Devem usar sua força midiática para alavancar as mensagens positivas, promover campanhas e educar o torcedor.

O futebol, em muitos países, contribuiu para ajudar a saúde pública, conscientizar a população sobre a importância das boas práticas ESG e da divulgação de quais ODS da ONU o clube apoia, além de seus propósitos.

QUAIS SÃO OS TIMES DE FUTEBOL MAIS SUSTENTÁVEIS DO MUNDO?

No Brasil o tema ainda é muito embrionário, mas no exterior já temos bons *benchmarks*, que podemos considerar grandes exemplos para nos inspirar. O mundo do esporte é muito inspiracional, e conceitos ganham gigantesca dimensão midiática, podendo podem ajudar a mudar o mundo para melhor.

Na Inglaterra foi divulgado um *ranking* pela BBC, avaliando quais os times mais sustentáveis da Premier League, primeira divisão daquele país. Em primeiro lugar ficaram empatados Tottenham e Liverpool, depois Manchester City e Southampton.

Vale destacar dois outros times, grandes exemplos de práticas sustentáveis, o Forest Green Rovers, atualmente na quarta divisão inglesa, e o escocês Hibernian de Edimburgo, na primeira divisão.

Na Espanha também foi divulgado um *ranking*, criado pela empresa Holaluz, que avaliou os times mais sustentáveis da La Liga. Assim como na Inglaterra, foram consideradas inúmeras variáveis ligadas à agenda ESG para avaliar os times. Real Betis e seu projeto Forever Green é disparado o mais sustentável, seguido de Athletic Club de Bilbao, Barcelona e Getafe.

PREMIER LEAGUE SUSTAINABILITY RANKINGS		
Rank	Club	Score
1	Tottenham Hotspur	24
1	Liverpool FC	24
3	Manchester City FC	23
4	Southampton FC	20
5	Brighton & Hove Albion	19.5
6	Arsenal	18
7	Wolverhampton Wanderers	17.5
7	Manchester United	17.5
9	Brentford FC	16.5
10	Chelsea FC	16
11	Crystal Palace	16
12	Everton	15

FONTE: CLIMATE: HOW GREEN ARE PREMIER LEAGHE CLUBS IN 2023? DISPONÍVEL EM: HTTPS://WWW.BBC.COM/SPORT/FOOTBALL/65544714. ACESSADO EM: 3 JUN. 2024

ALGUNS PROJETOS MARAVILHOSOS E INSPIRADORES

– **Real Betis, Forever Green** (forevergreen.es/?lang=en).
– **Forest Green Rovers** (www.fgr.co.uk/another-way).
– **Hibernian FC** (www.hibernianfc.co.uk/we-are-all-hibs/greeenstclubinscotland).

Links úteis — onde se informar:

- **The Sustainability Report** (sustainabilityreport.com/).
- **Sustainable Sport Index** (www.aptim.com/services/sustainable-sport-index/).
- **Clubes espanhóis** (www.holaluz.com/blog/los-equipos-mas-sostenibles-de-la-liga/).
- **Clubes ingleses** (www.bbc.com/sport/football/60196764).
- *Reports* **da Sports Value** (www.sportsvalue.com.br/estudos-e-publicacoes/).
- *Insights* **da Sports Value** (www.sportsvalue.com.br/blog/).

AMIR SOMOGGI é diretor da Sports Value (disponível para contato em: amir.somoggi@sportsvalue.com.br).

HISTÓRIAS DE REMADOR

Cesar Seara Neto

Descobri numa oficina de crônicas que lido melhor com o subjetivo do que com narrativas objetivas. Neste texto, tentarei descrever o sentimento que tenho pelo remo, mas não sei ao certo o que ele é.

Comecei a escrever como uma brincadeira sobre um período da minha vida, que se confundiu com a minha adolescência. Esse tempo foi quando pratiquei remo. Não sei se o período de confinamento pandêmico me deu uma oportunidade ou se é uma necessidade de contar causos, fatos das viagens e dos momentos que antecediam e precediam os treinos e competições. Dentro de uma garagem de remo existe algo mágico que nos encanta, nos diverte de forma infantil.

Minha ideia original era escrever um livro, e, para me dar mais base e conteúdo, entrevistas seriam feitas com os meus contemporâneos, do meu clube e adversários. Acatei uma sugestão para não limitar as conversas somente com conhecidos, me permitindo encontrar infinitas pessoas com histórias bem mais interessantes do que as minhas.

O nome desse projeto foi sugerido pela minha esposa: *Histórias de remador*, sendo aceito de imediato. Aqui começa a confusão que eu gosto de criar nos textos que escrevo: por que não remadores, se a ideia era abranger a maior quantidade possível?

O fato é que pouca diferença faz se os protagonistas das histórias são tratados de forma coletiva ou singular. A partir do momento em que abri o peito para contar as minhas histórias, meus ouvidos se abriram às histórias dos desconhecidos.

Falei com os mais variados tipos de atletas, dos mais diferentes níveis em termos de conquistas esportivas, inclusive com um campeão olímpico, com idades entre dez e quase cem anos, mulheres e homens.

Eu descobri que as medalhas são importantes, mas percebi que não conseguem contar histórias tão interessantes quanto as competições. A maioria dos filhos acaba entrando para um esporte por incentivo ou influência dos pais. No meu caso foi diferente. Meu pai entrou para o remo por minha causa, assim como o meu irmão.

Na entrevista que fiz com meu pai, descobri muitas coisas das quais aquele adolescente preocupado em treinar e remar não se dava conta. Duas qualidades do meu pai foram importantes para o sucesso do nosso esporte sob sua gestão.

A primeira e mais importante: ele fez o que fez pelo nosso esporte. Lógico que seus filhos eram duas peças que participavam do jogo, mas ele enxergava que muitos outros, com mais capacidade, poderiam ir além de nós, e essa visão de gestor é sua segunda maior qualidade, sem falar nas regatas organizadas e lideradas por ele.

Essa prévia sequência de ideias me serve de base para este texto, me lembrando do sentimento que me propus a identificar quem é e como se processa nas diferentes pessoas com quem falei e ainda falo.

Em todas, sem me preocupar com o nível atlético, idade ou gênero, sempre vi um brilho no olhar, complementado por um sorriso, muitas vezes transbordando nos olhos na forma de lágrimas. Ainda que o esporte tenha seus momentos de frustração, pelos resultados não atingidos, todas as pessoas me transmitiram um fluxo que vinha de dentro para fora, sem palavras escritas ou faladas, demonstrando um orgulho muitas vezes de forma imperceptível, uma gratidão pelos ensinamentos adquiridos ao longo da vida esportiva. Uma unanimidade é que grandes amizades foram construídas remada a remada dentro dos barcos, aprimoradas em terra, mesmo quando as pás deixaram de ir para a água, para o resto de suas vidas.

A sede acaba nos ensinando o valor que um copo d'água tem. Fiquei afastado do esporte por mais de trinta anos. Quando o Aldo Luz, o clube em que iniciei no remo, completou cem anos, uma efusão de bons momentos veio à mente de forma simultânea e descontrolada. Bastou um desafio para uma remada volta à ilha, aceita de forma impetuosa, para desencadear o processo de retorno.

O campeoníssimo Xeno Muller confidenciou que percebeu o quanto amava o esporte quando parou de remar, logo após a conquista olímpica. Foi quando se deu conta de que precisava voltar, caso contrário ficaria louco.

Mesmo que minhas conquistas como atleta não se comparem às dele, passei tanto tempo olhando as águas calmas, muitas vezes de forma inconsciente, relembrando as batalhas que travamos nos barcos, outras nas nossas próprias cabeças.

Encerro estas linhas, como de costume, sem pretender concluir nada, e certo de que ainda não sei o que pulsa e me motiva a subir num barco, ou torcer como um louco à beira d'água pelas mais distintas cores, dos mais variados clubes. O que me conforta é saber que esse sentimento, ainda que indefinido, não só a mim pertence, sendo transmitido sem regras combinadas por escrito, ou mesmo faladas, mas que o vento e o tempo se encarregam de fazer.

CESAR SEARA NETO é engenheiro civil e de segurança do trabalho, e o remo é seu esporte predileto. Criador de conteúdo digital nos perfis @historiasderemador e @searaneto65.

CASADA COM O REMO

Marilia Ferraz Cardoso

Ser casada com um remador não é para as fracas.

Eles acordam antes dos bebês e dormem antes deles também.

Gostam de madrugar, com chuva, com frio.

Comem como se não houvesse amanhã.

As mãos têm mais calos do que as dos grandes lenhadores.

Camisetas novas pra quê? Boas eram as velhas, gastas, muitas vezes furadas.

Os braços doem, as pernas doem, cada músculo dói. Mas o coração não dói nem um pouquinho. Ele está bem, porque remar em sincronia, equilibrar o barco, vencer, fazem tudo parecer leve.

Harmonia, companheirismo, confiança. Tão raros fora d'água.

Ser esposa de um remador é como os votos que fazemos no altar: na alegria e na tristeza, na saúde e na doença. Nas derrotas e nas vitórias.

Ser casada com um remador é ter muito orgulho do título de Atleta do Ano que ele conquistou, dos inúmeros campeonatos que ele venceu. Dos amigos que mantém há mais de cinquenta anos.

Ser casada com remador é ser casada duas vezes. Com o companheiro e com o esporte que ele adora.

E esse é um casamento feliz.

MARILIA FERRAZ CARDOSO é casada com Antônio Cardoso, remador desde 1965 e fotógrafo voluntário do Instituto Remo Meu Rumo.

O ESPORTE TEM O PODER DE MUDAR O MUNDO?

Daiany França Saldanha

Minha vida sempre foi permeada por histórias de força e determinação. Mulheres corajosas, como minha avó Maria Lucila e minha mãe, Valdênia, forjaram em mim o valor da resiliência. Ao lado de meu pai, Milton Júnior, elas criaram um ambiente no qual cresci valorizando a colaboração e a integridade, competências que mais tarde reconheceria como fundamentais no mundo do esporte.

Morada Nova, minha cidade natal, município cearense distante cerca de 160 quilômetros da capital, Fortaleza, foi o lugar das minhas primeiras lembranças e aprendizados com o esporte. Como Morada Nova tinha bastante tradição esportiva, desde muito cedo tive estímulos para explorar modalidades como atletismo, basquete e futsal. Pelas manhãs, eu me dedicava aos estudos em uma escola pública estadual, mas assim que as aulas terminavam meu dia era preenchido com treinos, seja na própria escola, seja no ginásio municipal ou na pista de atletismo, equipamentos localizados próximos uns dos outros.

Mais do que uma atividade recreativa, o esporte tornou-se uma paixão. Anos mais tarde, essa paixão me levou a fundar o Instituto Esporte Mais, ONG que liderei entre 2014 e 2023. E não parou por aí. Foi essa mesma paixão que direcionou minha escolha pelo Esporte para o Desenvolvimento (EPD) como tema da minha dissertação de mestrado. Esse campo de estudo me mostrou que o EPD é mais do que apenas uma abordagem. Ele representa uma filosofia que enxerga o esporte como um meio poderoso para a transformação social. O que me fez, e faz até hoje, refletir: será que o esporte tem, de fato, o poder de mudar o mundo?

Antes de me aprofundar nessa questão, porém, vale explicar o que é, conceitualmente, Esporte para o Desenvolvimento (EPD). Também referido como Esporte pela Mudança Social (EMS), o EPD engloba todas as atividades físicas que promovem a aptidão física, o bem-estar mental e a interação social. Isso inclui desde jogos recreativos e esportes organizados até competições informais e práticas esportivas indígenas (ONU, 2003).

Sua origem remonta há tempos antigos, mas ganhou destaque no cenário global nas últimas décadas, especialmente após a declaração de Nelson Mandela, em 25 de maio de 2000, ao receber o Prêmio Laureus: "O esporte tem o poder de mudar o mundo. Tem o poder de inspirar, tem o poder de unir as pessoas de uma forma que poucas outras coisas conseguem. Ele fala aos jovens em uma linguagem que eles compreendem"[16] (Laureus, 2000, tradução livre).

Tradicionalmente, o esporte sempre foi visto como uma ferramenta para fortalecer o corpo e a mente. Contudo, com o passar do tempo, sua capacidade de moldar comunidades, fomentar a cooperação e promover valores universais foi reconhecida. A partir de meados do século XX e principalmente no início do século XXI, observamos um movimento crescente

---

16 "Sport has the power to change the world. It has the power to inspire. It has the power to unite people in a way that little else does. It speaks to youth in a language they understand.

em direção à pratica do esporte como meio de alcançar objetivos de desenvolvimento mais amplos, como os Objetivos de Desenvolvimento do Milênio (ODM) e, em curso até 2030, os Objetivos de Desenvolvimento Sustentável (ODS) (Saldanha, 2023).

Nesse contexto, organizações, tanto governamentais quanto não governamentais, começaram a implementar programas que usavam (usam) o esporte como ferramenta para combater problemas sociais, promover a paz e fomentar o desenvolvimento sustentável.

No entanto, não há consenso na literatura sobre a eficácia do esporte como ferramenta de transformação social. Enquanto muitos veem o esporte como um meio poderoso para alcançar mudanças positivas, outros argumentam que seu impacto pode ser limitado ou até mesmo superestimado em certos contextos (Coalter, 2008; Hall; Reis, 2019; Hancock et al., 2013; Lima; Modenesi, 2020; Reis; Sousa-Mast, 2016; Svensson; Cohen, 2020).

Entre aqueles que defendem o EPD, observamos a influência de entidades variadas. Corporações transnacionais, com suas marcas onipresentes, apostam no poder do esporte para mudar o mundo. Também há as organizações esportivas internacionais de grande porte, como a Federação Internacional de Futebol (Fifa) e o Comitê Olímpico Internacional (COI), que promovem seus programas de esporte para o desenvolvimento. Além desses, há as organizações intergovernamentais, como a Organização das Nações Unidas (ONU), que veem potencial no esporte para promover suas agendas (Giulianotti, 2012).

Por outro lado, pesquisadores, grupos progressistas e movimentos sociais questionam a abordagem neoliberal do EPD, destacando o uso do esporte como um instrumento de manutenção do capitalismo e controle. Eles argumentam que, por trás das grandes corporações e de seus patrocínios milionários, às vezes bilionários, há interesses que nem sempre se alinham com o verdadeiro espírito esportivo ou com a promoção de um desenvolvimento genuinamente sustentável — se é que isso é possível. Ressaltam, ainda, que o esporte, mais do que uma paixão ou ferramenta de desenvolvimento, é um direito (Collison et al., 2020; Korsakas et al., 2021).

Agora, voltando à grande questão — "o esporte tem o poder de mudar o mundo?" —, minha resposta é: sim e não. Sim porque em minha trajetória pude testemunhar e estudar inúmeros projetos e pesquisas que mostram vidas e comunidades transformadas pelo esporte (ou por projetos esportivos). A alegria de uma criança ao fazer um gol, a confiança adquirida por adolescentes ao aprenderem a trabalhar em equipe, ou a superação de barreiras sociais por meio da prática esportiva são exemplos concretos dessa transformação. Contudo, essa transformação não é automática. Ela não acontece isoladamente. O esporte, por si só, não é a panaceia[17] para todos os problemas sociais. É necessário que esteja integrado a políticas públicas eficazes, e é fundamental a participação de outros atores-chave, como educadores, líderes comunitários e instituições públicas e privadas. O esporte pode ser o dinamizador, mas a verdadeira mudança requer um esforço amplo e contínuo.

---

[17] "Panaceia" é um termo que se refere a uma solução ou remédio considerado capaz de curar todos os males ou resolver todos os problemas. A palavra tem origem na mitologia grega, segundo a qual Panacea era uma das filhas de Asclépio (deus da medicina) e Epíone. Ela era a deusa que possuía um remédio universal, capaz de curar todas as doenças. No uso contemporâneo, "panaceia" é frequentemente empregada de forma figurada para indicar algo que é promovido como uma solução para todos os problemas, mas que, na realidade, pode não ser tão eficaz quanto se afirma.

REFERÊNCIAS

COALTER, F. Sport-in-development: a monitoring and evaluation manual. 2008. Disponível em: https://www.sportanddev.org/sites/default/files/downloads/10__sport_in_development__a_monitoring_and_evaluation_manual.pdf. Acesso em: 8 jan. 2024.

COLLISON, H. et al. *Routledge handbook of sport for development and peace*. Routledge, 2019.

GIULIANOTTI, R. O setor de esporte para o desenvolvimento e a paz: um modelo sociológico de agências pacificadoras. *Pensar a Prática*, Goiânia, v. 15, n. 3, p. 551-820, 2012. Disponível em: https://revistas.ufg.br/fef/article/view/20505/12080. Acesso em: 8 jan. 2024. Doi: 10.5216/rpp.v15i3.20505.

HALL, Gareth; REIS, Arianne. A case study of a sport-for-development programme in Brazil. *Bulletin of Latin American Research*, published by John Wiley & Sons Ltd on behalf of the Society for Latin American Studies, 2019.

HANCOCK, M.; LYRAS, A.; HA, J. P. Sport for development programs for girls and women: a global assessment. *Journal of Sport for Development*, 2013. Disponível em: https://fundacja-cinco-colores.webnode.com/. Acesso em: 10 fev. 2022.

KORSAKAS, P. et al. Entre meio e fim: um caminho para o direito ao esporte. Licere—*Revista do Programa de Pós-graduação Interdisciplinar em Estudos do Lazer*, 2021. Doi: 10.35699/2447-6218.2021.29534.

LAUREUS. Nelson Mandela — Laureus World Sports Awards 2000, 2000. Disponível em: https://www.youtube.com/watch?v=GdopyAFPoDI&t=52s. Acesso em: 2 fev. 2022.

LIMA, Marcus V. Sanchez; MODENESI, Thiago Vasconcellos. Histórias de transformação nas vidas dos usuários do Programa Segundo Tempo (PST) de Jaboatão dos Guararapes, Pernambuco. *Revista Educação*, Universidade de Guarulhos, v. 15, n. 3, 2020. Disponível em: http://revistas.ung.br/index.php/educacao/article/view/3360. Acesso em: 8 jan. 2024.

ONU. General Assembly. Resolution adopted by the General Assembly — 58/5. *Sport as a means to promote education, health, development and peace*, 2003. Disponível em: https://www.sportanddev.org/en/document/un-reports-un-resolutions/un-general-assembly-resolution-585-sport-means-promote-health. Acesso em: 14 fev. 2022.

REIS, A. C.; SOUSA-MAST, F. R. *Rio 2016 e legados esportivos:* os legados dos Jogos Olímpicos para jovens em situação de vulnerabilidade social no Rio de Janeiro: Relatório Final da Pesquisa, 2016. Disponível em: http://memoriadasolimpiadas.rb.gov.br/jspui/bitstream/123456789/1040/1/MAST.RIO2016.2016.pdf. Acesso em: 9 jan. 2024.

SALDANHA, D. F. *Cooperação Brasil-Alemanha:* o caso do programa setorial "Esporte para o Desenvolvimento". Orientador: Douglas Roque Andrade. 2023. 110 f. Dissertação (Mestrado em Ciências) — Programa de Pós-Graduação em Mudança Social e Participação Política, Escola de Artes, Ciências e Humanidades, Universidade de São Paulo, São Paulo, 2023.

SVENSSON, G.; COHEN, Adam. Innovation in sport for development and peace. *Managing Sport and Leisure,* v. 25, n. 3, p. 138-145, 2020. Disponível em: https://doi.org/10.1080/23750472.2020.1728068. Acesso em: 9 jan. 2024.

THE GLOBAL GOALS. Sport has the power to change the world. 2021. DiAsponível em: https://www.globalgoals.org/news/sport-for-development-and-peace. Acesso em: 9 jan. 2024.

DAIANY FRANÇA SALDANHA é fundadora do Instituto Esporte Mais (IEMais), ONG cearense que presidiu por nove anos (2014-2023), eleita "Best Organisation For Empowering Women Through Sport 2023" pela Acquisition International, por meio do Non-Profit Organisation Awards. Fundadora da consultoria Mais Impacto e do negócio de impacto Líderes Esportivos. Mestra em Mudança Social e Participação Política pela Escola de Artes, Ciências e Humanidades da Universidade de São Paulo (EACH-USP). Especialista em Terceiro Setor e Esporte para o Desenvolvimento. Membro da rede global Sport for Development.

ALÉM

Mario Saad

Há dez anos, uma pequena-capivara nasceu. Deparou-se com o ir e com o vir. Ondas? Incansáveis. Olhou para suas pequenas patas. Frágeis? Firmes. Macio no chão? Grãos de areia.

Sem conhecer bem o lugar em que se encontrava, muito menos qualquer limite (limite?), não teve dúvidas: foi em frente. Sentiu a água gelada, o medo do inesperado, o contato com o novo.

Um peixe grande, que ali vivia, perguntou à pequena-capivara:

— O que você pretende fazer?

— O tudo. Aventurar-me, conhecer, explorar, desafiar-me. Seguir em frente.

A pequena-capivara logo notou as dúvidas do peixe grande. A dúvida. O que ela faz aqui? E a pequena-capivara se dispunha ao tudo. Nasceu ali. Ali é que cresceria.

Atravessou as ondas. Enfrentou as tempestades. Viu o nascer do Sol. O cair do Sol. A Lua. Idas e vindas. Das ondas. Da Lua. Da vida. Não desistiu. Foi e voltou. Foi.

"A vida cria obstáculos apenas para nos mostrar o quanto podemos ser fortes para superá-los", pensava ela. "O que vier, superarei."

Crescia a pequena-capivara. Ou talvez seja melhor dizer: cresceu. E, assim, chegou a hora de a grande-capivara aventurar-se ainda mais. Continuar a caminhar. Conhecer outras das suas. Inspirar. O mar, grande, bravo, tranquilo, belo, pacífico, ficou pouco. "Vou além."

Foi. A grande-capivara passou a deter um título não detido por nenhuma outra capivara: grande-capivara-sem-medo. A agora (agora?) a grande-capivara-sem-medo assistiu, sentada e indo adiante, ao desfile de ondas, aos outros animais que habitavam o mar, aqueles que o circundavam.

Viu tudo de longe. Viu tudo de perto. Com coração aberto e com sonhos gigantes, não se contentou (atreveu-se, pensaria o peixe grande?). "Sim, eu vou além", pensava a grande-capivara--sem-medo. Um constante vou além.

Fez de tudo. Voltou ao mar. Nadou. Mergulhou. Perdeu a respiração. Retomou a respiração. Aprendeu a respirar. Sempre adiante. Às vezes alegre, às vezes triste. Sem desanimar.

Procurou em cada coisa a sua lição. Um traço de aprendizado, de crescimento. Algo que pudesse passar adiante. Aprender. Ensinar e aprender. Sorriu. Lembrou-se do peixe grande, que talvez já tivesse se esquecido da grande-capivara-sem-medo (pequena capivara?).

"Quando você acredita na sua capacidade, sabe que mesmo que os outros digam o contrário, é sempre possível fazer mais e melhor", pensava ela. Não deixou de fazer mais. Sempre tentou fazer o melhor. Fez. Voltou à areia. "Vou além."

Com esse espírito, a tarefa da grande-capivara-sem-medo tornou-se simples. "Vou a São Paulo." "Grande-capivara-sem--medo em São Paulo", zombaram outros animais. Grande peixe incluído. Este ficou.

Lá foi ela. "Crescerei. Vou me encontrar. Encontrar outras como eu." Por si e pelos demais.

Foi o que essa outrora-pequena-capivara fez. Chegou a novas águas. A novos chãos. Mar? Raia. "Vou aqui." Há outras? "Há outras!" Chegaram. Continuam a chegar. Todas grandes--capivaras. Cada uma com seus desafios. Seus próprios desafios.

A grande-capivara-sem-medo se viu em outras. Todas sem medo. Nadaram juntas. Nadam.

Respiraram e respiram. Dia após dia. Veem o Sol. Olham a Lua. Sonham juntas. Realizam juntas.

Agradecem umas às outras. Aprendem umas com as outras. Ensinam.

E assim, todas grandes, enxergam o infinito. O mar, a Raia, pouco importa. Os desafios a enfrentar. E uma vida inteira para viver.

"Ninguém pode dizer que você não é capaz. Acredite em si mesmo e siga em frente, sua mente tem mais força do que você imagina", pensava a grande-capivara-sem-medo. Pensam todas elas. Juntas. Grandes. Sem medo. Vão além.

MARIO SAAD é triatleta amador, doutor pela Universidade de São Paulo (USP), mestre pela Pontifícia Universidade Católica de São Paulo (PUC-SP) e bacharel pela Fundação Getulio Vargas (FGV-SP) em Direito, professor do Mestrado Profissional da Escola de Direito da FGV-SP. Sócio de Direito Público e Advocacia Pro Bono do Cescon, Barrieu, Flesch e Barreto Advogados, que hoje atende *pro bono* o Instituto Remo Meu Rumo.

IKIGAI

Ricardo Marcondes Macéa

Viver (*iki*), razão (*gai*), é um conceito oriental que identifica uma vida alinhada com nossos desejos e expectativas, com prazer, propósito e de maneira que isso nos preencha com harmonia e paz interior.

Buscar e encontrar o meu *Ikigai* exigiu coragem para me libertar, mudança em uma jornada profunda e constante de autoconhecimento, em um processo reflexivo por vezes doloroso, mas que sempre ensinou muito, vivendo de acordo com os valores que acredito: verdade, intuição (alma) e coração.

O sentimento de encontrar o *Ikigai* é relativo, varia naturalmente de acordo com a pessoa, não estando necessariamente relacionado ao sucesso profissional. No meu caso, sempre fiz minhas escolhas guiado por minha intuição, enxergando com os olhos do coração e olhando adiante, feliz e grato pelas pequenas surpresas e aprendizados da vida diária.

Meu olhar para o ser humano foi sempre como alma, a centelha de luz que anima o nosso corpo. A alma é o princípio da vida, temporária e eterna. Ela não faz distinção física ou de gênero, raça ou nacionalidade. Viver em conexão com a nossa alma é viver interligado com os valores essenciais que preenchem o nosso coração e dão sentido a nossa vida.

No caminho do meu *Ikigai* fui peregrino, em uma reflexiva e transformadora jornada de fé, saindo de Saint-Jean-Pied-de-Port na França, cruzando os Pirineus em duríssimo inverno e chegando a Compostela 900 quilômetros depois, caminhando entre montanhas, bolhas, suor, sonhos e lições. Maior que a conquista ou a medalha, são as vivências, os passos e os aprendizados que ensinam e nos formam como cidadãos.

Ter o sentimento de plenitude que a matriz que une os pontos do *Ikigai* demonstra é viver a vida com um propósito preenchedor, com uma missão prazerosa e que ajude ao próximo – irmão ser humano, tendo a felicidade como escolha diária, e conectando os pontos. Os meus foram: o esporte – uma escola de valores vividos na prática e tudo que ele me ensinou na vida, como humildade, determinação, resiliência e disciplina, e o olhar para o outro com o desejo que ele seja feliz e tenha sucesso, lembrando que a vida é uma jornada e não uma competição.

A natação é um esporte completo, e também uma terapia, física e emocional. A coordenação (quanto mais apurada sua técnica, melhor será seu deslize na água), a força e o sentimento trazem uma sensação de relaxamento mental e condicionamento e força física. A relação com a água é como um namoro, leva tempo para aquecer, encaixar os estilos, como uma conexão com outra dimensão. É um exercício de presença e introspecção. Nadar no mar, em águas abertas, é uma experiência de conexão com a natureza, que demanda um misto de coragem e muita atenção à navegação, já que o mar não tem borda.

A Educação e o Esporte têm que andar sempre juntos, conectados, de maneira plural.

Remar, o principal esporte adaptado oferecido pelo IRMR, não se trata simplesmente de força física, mas sim de sincronia e conexão entre as partes. O segredo do deslize do barco está em que todos estejam conectados ao ritmo do outro. Empatia. Quando mais sincronizado for, mais suave, fácil e prazerosa será a prática.

E ainda que a força aplicada seja individual, cada um dando o seu melhor, o ganho só ocorre quando o movimento se torna **coletivo. Construção Coletiva.**

Tornar o mundo um lugar melhor para se viver, promovendo a igualdade e a diversidade com senso de justiça e equidade, aliados a conceitos e vivências do mundo dos negócios, adquiridos como escolha profissional, complementaram minha mandala do *Ikigai*.

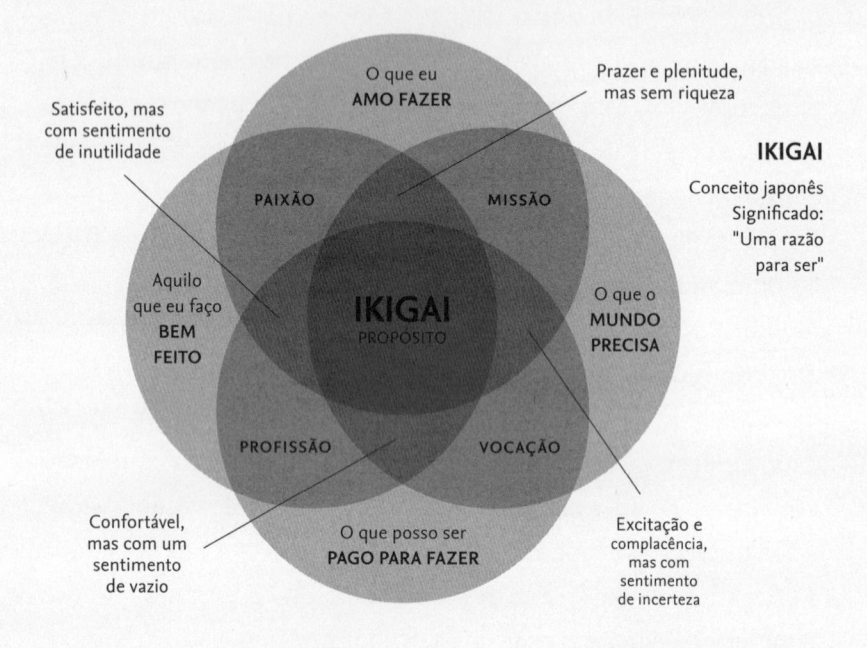

Diagrama do Ikigai, com os círculos PAIXÃO, MISSÃO, VOCAÇÃO e PROFISSÃO intersectando-se no centro IKIGAI (PROPÓSITO).

- O que eu AMO FAZER
- O que o MUNDO PRECISA
- O que posso ser PAGO PARA FAZER
- Aquilo que eu faço BEM FEITO

- Satisfeito, mas com sentimento de inutilidade
- Prazer e plenitude, mas sem riqueza
- Excitação e complacência, mas com sentimento de incerteza
- Confortável, mas com um sentimento de vazio

IKIGAI
Conceito japonês
Significado: "Uma razão para ser"

Os 10 Ps da Gestão do Instituto Remo Meu Rumo simbolizam a alta performance e a busca pela excelência e as práticas dessa construção coletiva de amor ao próximo, responsabilidade social, benevolência, cidadania e humanidade.

OS 10 Ps

- Paixão
- Propósito
- Preparo
- Planejamento
- Processos
- Pessoas
- Parcerias
- Pontes
- Profissionalismo
- Persistência

A vida das Pessoas com deficiência pode ser dividida em três eras.

Na pré-inclusão, até meados do século XX, elas eram segregadas e, de certa forma, invisíveis para a sociedade. Na era da inclusão, últimas décadas do século XX, houve o início de avanços importantes nas políticas públicas, na legislação trabalhista e também na educação inclusiva. Enfim chegamos à era da acessibilidade, com menos discriminação, mais conscientização e infraestrutura e onde o mundo digital, com amplo acesso à internet, foi uma poderosa ferramenta de inclusão e conexão com o mundo.

A mudança das terminologias utilizadas para se referir à Pessoa com deficiência simboliza bem essa evolução, mesmo que em velocidade ainda menor que o necessário. Aleijado, inválido, especial, portador de necessidades especiais, deficiente, todos eram adjetivos duros e pouco generosos diante dos enormes desafios enfrentados pelas pessoas fisicamente desafiadas. Hoje, oficialmente chamadas de Pessoas (com o "Pê" maiúsculo) com deficiência, PcDs.

Nos últimos Jogos Paralímpicos, em Tóquio, houve uma campanha intitulada #WETHE15, ou NósOs15, menção a representação percentual de Pessoas com deficiência no mundo (mais de 1 bilhão de pessoas), buscando lembrar dos desafios e barreiras e promovendo uma mudança efetiva, com a visibilidade gerada por um grande evento esportivo global no qual a Pessoa com deficiência tem enorme protagonismo.

No Brasil, o último censo do IBGE aponta um percentual de 23,9% de PcDs, sendo 13 milhões de Pessoas com deficiência física. Vale registrar que foram consideradas pessoas com baixa visão nesse número total.

A jornada da inclusão ainda é longa, a realidade, árdua e os desafios vêm sendo conquistados pouco a pouco.

Tirar o foco das deficiências, e focar nas potencialidades, sempre com positivismo e senso de realização.

Este livro tem o objetivo de dialogar sobre as pautas do Instituto Remo Meu Rumo: Esporte, Inclusão, Saúde e agenda ESG (Ambiental, Social e Governança), e os autores não poderiam ser mais brilhantes e inspiradores, com presentes raros aos leitores, dialogando sobre as questões que norteiam este trabalho de mais de 10 anos, com incríveis histórias de vida, muitas aulas, poesias e memórias maravilhosas.

Gostaria de registrar os meus agradecimentos:

À minha extraordinária companheira de vida, Patricia, enorme ser humano e mulher: obrigado pela parceria, amor, amizade, paciência e exemplo incansável de profissionalismo e dedicação à brilhante carreira. Muito obrigado por ser Minha Família, minha paz, meu porto seguro e uma mãe amorosa, educadora e presente na vida de nosso amado filho Artur.

À queridíssima amiga e inspiradora irmã do coração, Ana Helena, pela amizade verdadeira e exemplo de amor e dedicação ao esporte, ao remo e à raia e pelas lições de humildade, simplicidade, generosidade e pelos *feedbacks* precisos e preciosos.

Ao querido amigo, mentor, mestre e inspiração Candido Leonelli, obrigado por TANTOS ensinamentos e exemplos de disciplina, estratégia, foco, força e amor ao esporte e por acreditar em mim faça chuva ou faça sol, sempre com positividade, grandeza e palavras fortalecedoras. Me sinto privilegiado pelo aprendizado e confiança. *Grazie Mille Dottore Capo.*

À minha amada e eterna Nonna Luiza, pelo exemplo de sabedoria, humildade, força, valores humanos, amor ao próximo e lições de fé e espiritualidade.

À minha eterna avó Nair, remadora do rio – e Clube de Regatas Tietê – das décadas de 1930 e 1940, pela inspiração, amor ao esporte e elegância.

Ao meu eterno e querido tio e leal amigo José Pedro, pelo exemplo de bondade, liderança, empreendedorismo, visão, coragem e paixão pelo esporte e pela música.

Aos meus pais, pela dedicação à minha educação, tentando sempre fazer o seu melhor, e em especial ao meu pai, José Rafael, uma Pessoa com deficiência, pelo exemplo de vida de luta, determinação, protagonismo, realização e sucesso.

Aos tantos queridos amigos voluntários, obrigado por tanto amor, talento, trocas, tempo, trabalho e presença (física ou a distância) junto ao IRMR e suas famílias. Receber a energia positiva de vocês é um presente que nutre o coração com uma vibração potente e poderosa em uma construção colaborativa.

Aos amigos doadores, patrocinadores e apoiadores, obrigado pelo gesto de generosidade e empatia e por acreditarem em nossa causa e na seriedade de nosso trabalho de impacto, propósito e transformação social, sempre com seriedade, *compliance* e transparência como pilares.

À minha amada Equipe Multidisciplinar de Saúde – Dani, Cesinha, Fê, Moisés, Ângela e Natália, e a todos os estagiários formados, gratidão pela parceria, compromisso e amor pelos alunos e por seu ofício e por me ensinarem a ser um líder e um profissional melhor a cada dia. À querida Sueli, obrigado pelo convívio leve e pela dedicação, profissionalismo, gentileza e competência.

Por fim, agradeço aos alunos, mais de 800 em mais de 10 anos, com muito carinho e orgulho e a certeza de que aprendi e ganhei muito mais, como ser humano, como cidadão, como pessoa, como gestor e empreendedor, como homem e também como pai do Artur. Obrigado também às famílias por acreditarem em nosso trabalho social esportivo inclusivo e pela troca enriquecedora permeada por amor, cuidado, carinho e afeto.

RICARDO MARCONDES MACÉA é administrador com pós-graduações em Inovação e Governança, Formação para Conselheiros, Gestão de Projetos, Negociação, Marketing, Marketing Digital, Marketing Esportivo, Gestão de Políticas Públicas e Terceiro Setor, em instituições como FGV, ESPM, FIA, USP e Rede Filantropia. É membro do Comitê Estratégico de Líderes e do Comitê de Diversidade, Equidade e Inclusão (DEI) da Câmara Americana de Comércio (Amcham), do comitê de estudos de DEI da ABRH, do Project Management Institute (PMI), da Associação Brasileira de Captadores de Recursos (ABCR) e da Rede Esporte pela Mudança Social (REMS). Condutor indicado da tocha paralímpica nos jogos Rio 2016, conselheiro das instituições esportivas CO-League e Walking Football Brasil e voluntário da Comunidade Indígena Nova Esperança/Amazônia.

Foi executivo de grandes empresas; hoje é empreendedor, fundador e Diretor-Executivo (CEO) do Instituto Remo Meu Rumo, a quem agradece por tanto aprendizado, profissional e humano, contribuindo por uma sociedade mais justa e menos desigual. Acredita no esporte como ferramenta poderosa de transformação social e educação. Nadador desde a década de 1970, apaixonado por esportes, montanhas, trilhas e cachoeiras, é triatleta aprendiz, praticou remo no Clube Esperia, é pai do Artur, seu orgulho e alegria, e companheiro da Patricia, a quem dedica este trabalho.

César Cielo, nadador ouro olímpico.

Hélia Fofão, jogadora de voleibol, multimedalhista olímpica.

Almoço em equipe: Cesar, Ricardo, Fernanda e Daniela.

Equipe liderada pelo professor Cesar, estreando novo uniforme.

Sede do Instituto Remo Meu Rumo na Raia Olímpica da USP.

Homenagem ao fundador Candido Leonelli.

Seleção de Para-Remo se preparando para a Para-Toquio 2020.

Homenagem Ana Helena Puccetti e Patricia Moreno
pelos 20 anos do Sul-americano de 1997.

Premiações recebidas pelo IRMR, Marketing Best Sustentabilidade. Patricia, Ricardo e Ana Helena.

Patricia e Ricardo em prêmio Euro Inovação em Saúde.

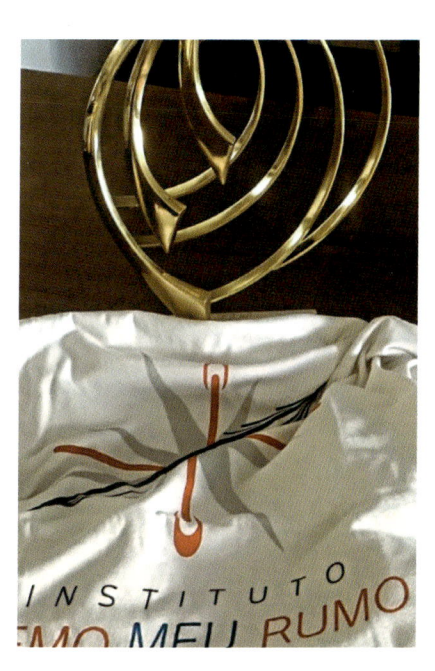

Troféu Prêmio Euro.

Foto: Antonio Cardoso

Capivara na Raia!

Equipe em congresso: Ângela, Sueli, Fernanda e Natália.

Fernanda, Sueli, Daniela e Ângela na Amcham.

Ricardo em palestra de captação PMI.

Ricardo no evento Sports Summit (acima); Ricardo com Mestre do Terceiro Setor, Michel Freller (abaixo).

Ricardo palestrando em evento no RJ.

Programa "O melhor da noite", Band TV.

Ricardo conduzindo os valores da tocha paralímpica Rio 2016:
Coragem, Determinação, Inspiração e Igualdade.
O valor da tocha em SP foi Transformação.

Da esquerda para a direita: Ricardo em evento para crianças com pé torto congênito, caracterizado como o personagem Batman; IRMR remando no Rio Negro, Amazônia (AM); Ricardo ao lado de Luiz Cavalli, do CPB, em evento para atletas paramilitares.

Da esquerda para a direita: Capo Polacco, da Portho's Náutica, que oferece cursos de Arrais ao IRMR, e Ricardo; Ricardo em competição de Triatlo no Riacho Grande; o pai de Ricardo, José Rafael, e seu filho, Artur, recém-nascido.

Fernanda, Silvia Grecco e Sueli.

Guilherme Merlino (cineasta) e Ricardo.

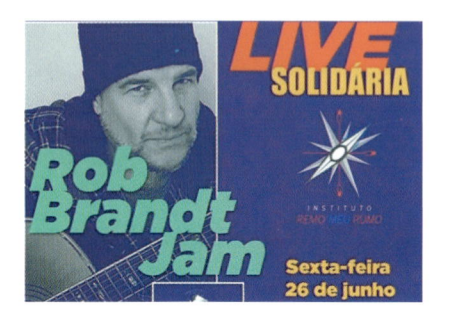

Músico voluntário amigo e craque Rob Brandt, em evento de captação de recursos na pandemia.

Ricardo em apresentação institucional em Carapicuíba (SP) (à esquerda); Ricardo com a apoiadora Sinara, da empresa Criogênesis (à direita).

IRMR recebendo reconhecimento das Secretarias de Esporte e Municipal da PcD. À esquerda, o multicampeão paralímpico nadador Daniel Dias, Silvia Grecco, Secretário Esportes Aildo Rodrigues, Secretária PcD Célia Leão, Yohansson (CPB) e Kayky (estagiário IRMR).

Ricardo e Artur.

José Pedro Macéa *(in memoriam)*, tio, amigo e mentor de Ricardo.

Nair Marcondes *(in memoriam)*, remadora do C.R. Tietê, 1938. Avó de Ricardo Marcondes Macéa.

Luiza Coletti Macéa *(in memoriam)*, avó de Ricardo.

Patricia e Artur, a quem Ricardo dedica seu trabalho.

Arte criada pelo voluntário Jorge Gouveia (@jgdob), em comemoração aos 10 anos do IRMR.

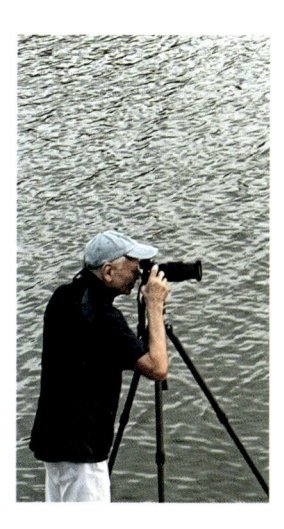

Fotógrafos Antonio Cardoso (@antoniocardoso956) e Bia Morra (@biamorra).

itaú · [B]³ · bradesco

VW Caminhões Ônibus · RD saúde · BAYER

Instituto de Ortopedia e Traumatologia · MEDICINA USP · Hospital Universitário HU USP · AACD vida é movimento

CEPE USP · Escola de Educação Física e Esporte - Universidade de São Paulo · Universidade de São Paulo - Escola Politécnica

TRITONE INTERACTIVE · CESCON BARRIEU ADVOGADOS · PMI Project Management Institute, São Paulo, Brazil

MARTINS Sistema Martins · OAK BERRY · Abbott · CRIO GÊNESIS

Santa Causa boas ideias & projetos · be. LGPD Standards Compliance · Rede Esporte pela Mudança Social · ATADOS